L'ESPRIT DE FAMILLE : CLAIRE ET LE BONHEUR

Janine Boissard, écrivain et journaliste, travaille pour la télévision et pour le cinéma en tant que scénariste et dialoguiste : elle a fait des adaptations de romans policiers; est l'auteur de séries télévisées.
Janine Boissard a publié chez Fayard la célèbre série L'Esprit de famille, *comportant cinq romans :* L'Esprit de famille L'Avenir de Bernadette, Claire et le bonheur, Moi, Pauline, Cécile la poison *et deux autres romans :* Une Femme neuve, Rendez-vous avec mon fils.

Voici, à nouveau, la famille Moreau : tendresse des parents, gaieté de Cécile, rude franchise de Bernadette, hésitations de Pauline devant la vie et Claire : la « princesse ».
A la Marette, d'abord, puis en Bourgogne, dans la grande demeure familiale où tout le monde va se retrouver pour Noël, Claire l'insaisissable va se révéler à elle-même... et à nous.
Mais à Montbard, ce ne sont pas seulement les odeurs d'enfance et la fête qui attendent nos quatre filles. Comment Cécile surmontera-t-elle la terrible rencontre qu'elle s'apprête à y faire ? Est-ce avec l'amour que Pauline y a rendez-vous ? Et Claire saura-t-elle saisir à temps le bonheur ?

JANINE BOISSARD

L'ESPRIT DE FAMILLE
III

Claire et le bonheur

ROMAN

FAYARD

Pour François, Yvan, Marianne, Fanny.

CHAPITRE I

LE JOUR DE LA SAINT-AIMÉ

Ce matin saint Aimé, on peut dire que ça tombe bien, j'ai repris la route du lycée. Pourtant, le jardin était le même qu'hier, odorant et doré dans ses soudaines averses de feuilles; on avait nettoyé à fond le bassin et si l'on marchait sans hâte sous le grand noyer on commençait à sentir craquer sous les pieds ses fruits encore enveloppés de brun. Tout y était pour l'espace et pour la liberté mais pour moi, c'était terminé. Cinq matins par semaine je m'en irais avant d'avoir entendu huit heures sonner au clocher. Je ne serais plus là pour guetter le facteur en espérant une lettre, de je ne sais qui, au fait! Je n'irais pas chercher la baguette chaude avant le déjeuner et à chaque départ il ferait un peu plus sombre, un peu plus froid.

En enfourchant ma mobylette, j'ai regardé les rideaux encore tirés de la chambre de Claire, ma sœur aînée, la « princesse », et pour une fois je l'ai enviée de se croiser les bras.

Comme vêtements, j'avais repris exprès les mêmes qu'hier, bien que mon pantalon soit taché de brou de noix aux poches, ou peut-être à cause de ça, mais je n'ai pas été jusqu'à remettre mon maillot de bain dessous.

Le sac de l'année dernière ferait bien trois trimestres de plus et je savais qu'en y plongeant la main j'y trouverais d'anciens papiers de chewing-gum mêlés à des épluchures de crayon : le terreau du souvenir. Pour la trousse, voilà longtemps que je n'en utilise plus. Pas de cahier non plus : un classeur géant.

Cécile, ma petite sœur, qui entre en cinquième à plus de douze ans, ce qui n'est pas la gloire, était prête depuis plusieurs jours. A chaque rentrée, elle exige tout un matériel neuf qu'elle dorlote durant une semaine, puis, terminé! Elle ne pardonne pas à maman de lui acheter de préférence ses livres d'occasion. Dans son cartable vert scintillant, elle avait une nouvelle trousse en matière plastique transparente qui laissait admirer les crayons de couleur, la règle graduée, le compas, la gomme et le stylo. Elle avait aussi un paquet d'étiquettes non autocollantes car la langue est faite pour servir.

En la voyant, tout excitée, devant ses affaires neuves, je l'ai enviée, elle aussi. Je me souvenais de cette quasi-certitude en moi : grâce à ces crayons bien taillés, à cette gomme intacte dont un côté sentait si bon le goudron, à cette règle, ces pages blanches, le travail serait facile et forcément récompensé.

Et voilà que depuis deux ans je m'accroche à mes vieux outils. Je supplie le cordonnier de recoudre une fois de plus la gibecière qui me sert de cartable et dont le cuir sent le poisson et s'écaille à toutes les jointures. Et mon crayon favori n'a que quatre centimètres marqués de dents.

L'automne était sur le chemin humide et brun, dans la lumière mais surtout dans mon cœur. En roulant vers le R.E.R., vers la classe de terminale qui m'attendait, je pensais comme je détestais ce mot : « Terminale. » A mon âge, maman annonçait fièrement : « J'entre en philosophie » et cette porte qui s'entrouvrait sur l'univers et sur elle-même devait éclairer chacun de ses gestes.

La terminale tire un double trait noir au bout de six années de lycée. Et après? Seule consolation, j'allais retrouver Béatrice, enfin, Béa, ma meilleure amie.

Chaque veille de rentrée, depuis l'enfance, nous avons droit à une visite de papa dans notre chambre. Il n'y vient guère qu'à cette occasion ou lorsque nous sommes malades et on le sent intimidé. Il regarde d'abord autour de lui et fait si possible une réflexion gentille, en principe spontanée, sur un détail qui lui plaît. Avec Cécile, dont la chambre est dédiée aux joueurs de rugby, il parle mêlée, regroupement, essais et drops; jusqu'à ce que de l'effort du joueur, il enchaîne adroitement sur celui de l'écolier au seuil d'une nouvelle année. Ecolière qui doit comprendre que c'est pour elle et non pour ses parents qu'elle travaille, même si ses succès font aux dits parents un plaisir immense.

Depuis deux ans et passant outre mon indignation, Cécile qu'on a surnommé « la Poison » cache un magnétophone dans son armoire entrouverte et enregistre le discours paternel pour, assure-t-elle, l'édification de ses futurs enfants.

Hier soir, papa n'est pas allé chez Claire puisque, comme dit la Poison, la Princesse entre dans sa seconde année de licence d'oisiveté et que tout a été dit sur le sujet, mais il est passé chez Bernadette qui a depuis trois jours repris son travail au manège.

A elle, il voulait conseiller, miracle, de ne pas trop se fatiguer. Le fiancé de Bernadette, Stéphane, doit partir bientôt à Toulon où il va faire son service militaire dans la marine. Papa craint que pour combler le vide elle ne se consacre aux chevaux avec une ardeur décuplée. Je ne sais ce qu'il lui a dit, mais le rire de Bernadette, qui loge au sous-sol, est monté jusqu'au toit de la maison.

Ensuite, papa est allé voir la Poison. Il l'a suppliée de changer le « pourrait mieux faire » inscrit un peu partout dans ses carnets scolaires, en quelque chose de plus positif : « Fait si bien! » Pourquoi pas? Cécile a désigné son cartable couleur d'espérance, sa trousse et ses cahiers et promis avec ardeur tout ce qu'on lui demandait. Il paraît, entre parenthèse, que le « fait si bien » de papa n'est apparu sur ses carnets qu'en classe de première. Et pourtant, il voulait déjà être médecin, plus précisément chirurgien, et s'exerçait abondamment sur toutes les cousines innocentes qui passaient.

Lorsqu'il est entré dans ma chambre, j'étais assise à mon bureau et j'écrivais. J'avais mis en évidence un superbe bouquet de feuillages pour lui fournir l'entrée en matière. Il l'a admiré comme prévu et m'a dit que s'il avait pu choisir sa chambre, il m'aurait volé mon grenier.

Il est resté un moment devant mon tableau préféré : un tableau qui représente une grève bretonne. La mer fait son boulot d'assaillante mais ne parvient pas à troubler la petite maison blanche tapie dans les genêts, plus haut.

La petite maison blanche, c'est moi. Elle n'a qu'une seule fenêtre, ce qui ne l'empêche pas d'apprécier le ciel lorsqu'il n'est pas trop sombre. La vague et son écume, c'est tout ce que l'on sent, autour de soi, de beau et terrifiant en même temps.

J'étais venue près de mon père et je regardais avec lui. Je lui ai dit que bien qu'elle me fasse un peu peur, j'aimais énormément la Bretagne, où les roches sont hérissées de bigorneaux et de bernicles, où les draps, mis à sécher au vent, ont, paraît-il, des odeurs de grand large.

Papa s'est étonné. A sa connaissance, nous n'étions allés là-bas qu'une fois et j'avais des yeux de toute petite fille... Mais un ami m'en avait tant parlé que j'avais l'impression d'en revenir seulement.

10

Charles[1] m'a regardée quelques secondes et je crois qu'il a compris.

Je n'ai eu droit à aucun conseil sur le travail : cahin, caha, ça va! Il m'a demandé ce que je comptais faire lorsque je serais bachelière. La réponse est venue presque à mon insu : écrire! J'ai prononcé ce mot et cela a été la paix en moi, et la route s'est éclairée.

« Ecrire quoi, ma petite fille? »

Des poèmes, des nouvelles, des romans, ce qu'on ne peut pas dire avec les lèvres, ce qui dort sans qu'on le sache, ce qui fleurit à notre insu, et la liberté, la souffrance, la fin et le début, tout quoi!

Il m'a regardée avec ce regard qui ne voit plus pareil, plus aussi bien, plus aussi loin, et m'a dit qu'à moins d'une chance formidable, un écrivain même doué de talent ne gagnait pas sa vie et qu'il faudrait que je songe à avoir, en plus, un métier, mais sans pour autant, surtout, renoncer à écrire. Il serait d'ailleurs fier de pouvoir me lire et me conseiller.

J'ai accepté, mais plus tard! Quand je serai prête à être jugée. Il s'est levé et lorsqu'il m'a embrassée avant de quitter la chambre, j'ai senti qu'il me disait combien il aurait aimé pouvoir exprimer mieux et plus souvent que je faisais partie de sa vie.

J'ai entendu son pas dans l'escalier. La troisième marche a grincé comme d'habitude. Quand il a été au premier étage, j'ai étendu ma main devant moi, un peu bombée et de profil. Je l'ai tellement regardée qu'elle est devenue un admirable moulage de plâtre blanc exécuté par un grand artiste épris de littérature.

Et devant le moulage de cette main il y avait un écriteau fait de matière rare et noble. Et sur l'écriteau ces mots : « Main de Pauline Moreau. » Et penchée sur ce nom, la renommée!

1. Papa.

CHAPITRE II

LA GUERRE DES FLEURS

Eₙ attendant : les vaches !

Il est dix heures du soir. Trois jours déjà que cette fameuse rentrée a eu lieu et on a l'impression de n'avoir jamais été en vacances.

Quand, à la fenêtre, Cécile s'exclame : « Il y a des vaches dans le jardin ! » personne ne s'émeut. Les plaisanteries subtiles de la Poison, on connaît ! Maman, de son fauteuil, lui adresse un signe de reproche en montrant notre père plongé dans un article sur les produits pharmaceutiques : article apparemment mortel car sa tête dodeline et, sous les lunettes, les yeux papillottent. De toute façon, papa ordonne le moins possible de médicaments, préférant laisser agir la nature.

Mais, lorsque après avoir à nouveau collé son nez au carreau Cécile, faisant fi de l'avertissement maternel, s'adresse directement à Charles pour lui dire : « Elles m'ont tout l'air d'apprécier ton saule ! » Papa se réveille tout à fait, lâche sa revue et rejoint la Poison, s'efforçant de montrer à tous par une démarche quiète qu'il n'est pas dupe.

Arrivé à la fenêtre, il se penche, regarde dans la direction que Cécile lui indique, ne laisse pas échapper le moindre rire mais se retourne vers maman et déclare, accusateur : « J'en vois trois ! »

Tout le monde est maintenant à la fenêtre, même Claire qui a pris toute la soirée des airs de martyre, allez savoir pourquoi, puisque c'est la seule dont la vie n'ait en rien changé en septembre alors qu'elle s'assombrit pour des millions d'écoliers et travailleurs divers.

Les vaches se profilent dans la lumière d'un réverbère placé sur le chemin, pas loin.

« C'est celles de la ferme, remarque Cécile. Je reconnais la Marie-Toulouse qui a une carte d'Irlande sur le dos. Les deux autres, c'est des génisses. »

La ferme, propriété du père et de la mère Maton, se trouve à la sortie de Mareuil. On y prend le lait, les œufs, un lapin de temps en temps, des pommes de terre bien meilleures que dans le commerce. En saison il y a aussi, hélas, des choux de Bruxelles, soi-disant excellents.

« On dirait qu'elles sont bien parties pour la nuit », constate Bernadette avec un gros rire ravi.

Elle a ouvert la fenêtre et le vent feuillette la revue de papa. On touche encore mieux l'automne, la nuit.

« Mais par où ont-elles pu entrer ? s'interroge maman.

— Mme Cadillac a prêté son champ aux Maton, nous apprend Cécile. Ils y menaient leurs bêtes quand je suis allée chercher le lait. Je les ai rencontrées ; même que la Marie-Toulouse boite salement. »

Le champ de Mme Cadillac, la boulangère, est voisin du nôtre.

« Je file à la ferme les avertir », dit Bernadette.

Papa la suit sur le perron. Lorsqu'il allume la lumière extérieure, une sorte de projecteur puissant qui sert surtout l'été quand nous dînons dehors, les vaches se lèvent, surprises.

On sent alors une énorme émotion soulever la poitrine de papa. Il regarde son *mixed border*.

« Si elles vont de ce côté, on pourra dire que c'est foutu. »

Et son regard, dépassant notre jardin, s'arrête, pathétique, sur la fenêtre des Tavernier...

Il faut savoir qu'entre papa et notre voisin, surnommé Grosso-modo parce qu'il le dit tout le temps, règne la guerre des plantations !

Cela a commencé par les considérations attristées de Grosso-modo sur notre sol, trop décalcifié, paraît-il, pour espérer en tirer des raretés. Le tracteur ultra-moderne acheté par notre voisin n'a pas arrangé les choses malgré l'arrosage multizones de papa, mais ce qui a fait déborder le vase, cela a été le coup des pucerons.

Quand il y a trois mois, ceux-ci se sont abattus sur nos tulipes de Hollande, papa, en voulant les anéantir, avec un appât empoisonné à fabriquer soi-même en suivant la notice, a rapidement tué les quelques tulipes indemnes tandis que les pucerons, en pleine vigueur, se jetaient sur les lupins. Grosso-modo l'espion, ayant osé déclarer que Charles avait raté son mélange — les grumeaux dans le vaporisateur en étant la preuve — papa a décidé de lui clouer le bec, une fois pour toutes. Il fait pousser en cachette, dans un châssis, des streptocarpus qu'il a transplantés nuitamment dans son *mixed border*.

Le streptocarpus est une fleur somptueuse à large gorge et bords ondulés. Son bleu rare, aperçu de la fenêtre, a vite attiré Tavernier, qui, d'après Charles, a piqué une jaunisse en découvrant les merveilles. La jaunisse, c'était la semaine dernière !

Et aujourd'hui, les vaches, sur la petite pelouse, hésitent entre streptocarpus et bassin.

Bernadette sort sa mobylette du garage, commet l'erreur de mettre son moteur en marche avant d'être sur le chemin et voilà nos ruminantes choisissant d'un même galop les précieuses plantations.

N'écoutant que son courage, papa s'élance à son tour, en babouches africaines, tant pis, poussant de tels cris de détresse que les vaches s'enfoncent un peu plus dans les plates-bandes.

« Foutez-moi le camp, imbéciles, hurle papa. Bon Dieu, les crétines ! »

De rire, Cécile est tombée sur une marche. Maman fait tout ce qu'elle peut pour la regarder d'un air sévère.

« Sais-tu combien de temps ton père a consacré à ces fleurs ?

— Justement, hoquette la Poison. Justement ! Ne dis pas ça. Surtout dis pas ça ! »

Papa a réussi à faire rebrousser chemin aux vaches qui, arrêtées sur le chemin, le regardent d'un air perplexe.

« Merci de votre aide, nous hurle-t-il. Merci infiniment !

— Mais qu'est-ce qu'on peut faire ? crie maman.

— Te servir de ta tête et m'apporter la grande torche ! » clame papa.

Cécile court chercher l'objet dans la cave et rejoint Charles en faisant un grand détour par l'arrière pour éviter les vaches.

Ce n'était pas pour aveugler les coupables qu'il voulait de la lumière mais pour évaluer les dégâts. On doit entendre ses soupirs dans tout Mareuil.

« Croyez-moi, le père Maton, il va m'entendre ! On a des vaches ou on n'en a pas, mais quand on en a, on s'en occupe. »

Claire a réintégré le salon. Cécile nous rejoint sur le perron.

Les trois vaches, hanche à hanche, se rapprochent maintenant du bassin autour duquel l'herbe est plus abondante, très glissante aussi. Chaque année, un invité nettement plus léger et adroit qu'elles en est la victime et on doit l'approvisionner en boissons chaudes et vêtements secs.

« Si elles tombent, pas de bile à se faire, remarque Cécile. Au moins, elles auront patte !

— Hyper drôle, rugit papa. Vraiment, hyper, hyper drôle ! »

On entend enfin, sur le chemin, le moteur de la mobylette suivi du hennissement de la vieille deux-chevaux des Maton. Inquiètes, les vaches se sont tournées vers la grille. Si elles reculent, elles sont bonnes pour le bassin.

Un affreux chien pénètre comme un obus dans le jardin précédant père et mère Maton, l'air aussi endormi que leurs bêtes. Elle a un foulard sur ses bigoudis; c'est vrai que demain c'est dimanche ! Le chien se précipite sur papa en aboyant furieusement. Papa fait un bond en arrière.

« Vas-y Zéro ! Fais-y la leçon, crie le père Maton. Fais-y voir la leçon à ces merdeuses. »

La Marie-Toulouse a reconnu son gardien et, avec un beuglement de terreur, disparaît dans l'obscurité, les génisses sur les sabots. On entend d'immenses bruissements de feuilles, des craquements de branchages.

« Pas par là, hurle papa, pas par là y'a mon châssis !

— Ben ça alors ! dit le père Maton. Ben, ça alors ! »

Il est venu serrer la main de papa, anéanti.

« C'est sûrement la Vicieuse qui a mis le grillage en l'air, explique la mère Maton. Quand son estomac est en cause, c'est pas croyable ce qu'elle trouve comme astuces. »

Là-bas, côté verger, les aboiements de Zéro redoublent.

« Vous croyez qu'il va savoir les ramener ? gémit papa.

16

— Et plus vite que ça, promet le père Maton. Terminée la gaudriole. En pénitence à l'étable.

— Vous avez peut-être remarqué, docteur, coupe la mère Maton, que la Marie-Toulouse elle boite comme une chaise de sacristie. Eh bien le vétérinaire, il nous jure qu'elle a rien. C'est psychologique d'après lui. Elle veut attirer l'attention sur elle, cette bête ! »

Elle a l'air toute fière, papa reste sans diagnostic, Cécile est aux anges.

« Faut la faire psychanaliser », propose Bernadette.

Mais voilà, qu'alerté par les aboiements de Zéro, Grosso-modo sort de sa maison au moment où en grand désordre les trois coupables apparaissent en pleine lumière.

En deux enjambées, il est là. Il porte une robe de chambre de velours grenat sur son pantalon de ville. Il regarde toute la famille, les Maton, les vaches, papa.

« Vous donnez dans l'élevage, docteur ? » demande-t-il finement.

Le père Maton trouve ça tordant. Tavernier essaye de distinguer les streptocarpus mais, le voyant arriver, papa a éteint sa torche.

« Et dans l'engrais naturel, je vois », poursuit Tavernier.

Et il désigne la babouche droite de papa qui remarque seulement dans quoi il a marché.

« Ça porte bonheur, à condition de pas dire tout haut ce que c'est », déclare sentencieusement la mère Maton.

Harcelées par Zéro qui se multiplie, les vaches passent en rang devant nous. Cécile les regarde avec amitié.

« J'ai entendu dire que pendant la guerre, les vaches mouraient comme des mouches faute d'être traites, raconte-t-elle. Il paraît que leurs pis étaient lourds comme des pierres et faisaient des dessins par terre !

C'est tout de même affreux de ne pas pouvoir se traire soi-même ! »

L'idée plaît énormément au père Maton qui n'en peut plus de rire.

« Tu devrais leur apprendre ! On pourrait faire des grasses matinées. »

Quand les vaches passent la grille, il serre la main de papa.

« Pour vot' châssis, on en causera demain, des fois qu'il aurait souffert. »

Au mot « châssis », Grosso-modo a dressé l'oreille.

« C'est rien, un vieux truc qui n'a jamais servi », répond papa d'un ton lamentable.

Avant de disparaître, la Marie-Toulouse jette un long regard de regret derrière elle. La mère Maton, qui n'a jamais réussi à passer son permis de conduire, prend le volant de la deux-chevaux et fait un démarrage foudroyant.

« On peut dire que la chance vous poursuit, docteur, dit Tavernier. Un jour, les pucerons, le lendemain les vaches. Pour vos streptocarpus, je pense pas qu'ils auraient tenu. Les fleurs, c'est comme les malades. La transplantation, ça réussit pas forcément ! »

Papa n'a même plus la force de répondre. Notre voisin referme la grille tout doucement, comme sur un mort. Tout est soudain rentré dans le calme et alors qu'on éteint les lumières extérieures, on peut entendre courir le vent dans les feuillages.

Timidement, maman suggère à son mari de laisser ses babouches sur le perron. Il s'exécute sans commentaires et monte directement dans sa chambre. On dirait un enfant puni.

Dans le salon, c'est Mozart qui nous accueille. La Princesse est au fond de son fauteuil, les yeux fermés. Cécile vient se planter devant elle, incrédule.

« Mozart, tu l'as tous les jours, mais les vaches ça

n'arrive qu'une fois dans la vie. Tu sais pas ce que tu as perdu! C'était sublime! »

Claire ouvre les yeux et regarde Cécile comme si elle revenait de loin, de très loin.

« Ça ne va pas? » s'inquiète maman.

Et c'est dans l'effort que fait la Princesse pour sourire; dans sa voix lorsqu'elle assure que, si, ça va, ça va très bien, il n'y a pas de problème, que je lis clairement que justement non! Quelque chose ne va pas. Vraiment pas.

Mais quoi?

CHAPITRE III

LES SILENCES DE CLAIRE

On remarque, on se promet de tenter quelque chose, et le lendemain c'est oublié, ou enterré, je ne sais pas : l'égoïsme, la paresse...

Mais aussi, les silences de Claire, ses repliements, ses états d'âme, depuis le temps, nous y sommes tellement habitués.

C'est Bernadette qui l'a baptisée « la Princesse ». Il paraît que, toute petite, elle était déjà différente : plus calme que la plupart des enfants, n'aimant pas se faire remarquer, toujours très soignée, pleurant en silence lorsqu'elle n'avait pas l'anneau au jeu du furet, la rue de la Paix au Monopoly, les as à la bataille, la fève à la fête des rois, évidemment !

Plus tard, lorsqu'elle allait au lycée à Paris avec Bernadette, elle prenait toujours des premières en métro, laissant la cavalière seule en classe de seconde. Et toujours aussi il y a eu le fait qu'elle était très belle et se tenait droite, la tête haute, comme visant le ciel.

Il y a des gens qui ne comprennent pas que nous la gardions à la maison, inactive. C'est comme ça ! Après sa fugue, les parents ont baissé les bras. Ceux qui ne sont pas d'accord, tant pis! On a eu trop le vertige quand elle est partie. Voilà!

Il m'est souvent arrivé de penser que si Claire refusait de travailler c'était simplement parce qu'elle ne pouvait se résoudre à s'engager dans quelque chose qui ne satisfasse pas ses goûts profonds, qui soit « moyen » comme ce qu'elle a toujours refusé. Mais ses goûts profonds, quels sont-ils?

En attendant, elle lit beaucoup, elle écoute de la musique, elle part pour de longues promenades et quand nous rentrons, elle est là! Elle trouve moyen de prendre la baignoire au moment où tout le monde en a besoin alors qu'elle a toute la journée. Nous ne lui connaissons pas beaucoup d'amis. Elle dit qu'elle vit.

Et, mercredi, quand je rentre à la maison, grand conciliabule à son sujet dans la cuisine.

Bernadette n'a même pas retiré ses bottes ni son pantalon de palefrenier, c'est tout dire sur l'atmosphère! Enfin, il paraît que certains aiment... Lorsqu'on l'a opérée, après sa mauvaise chute, on a rasé ses cheveux et ils repoussent très lentement et drus ce qui lui donne un aspect garçon mais c'est plutôt joli : Sexy en tout cas. On ne sait plus bien à qui on a affaire. On a envie de vérifier, et, vu la mine gourmande de Stéphane lorsqu'il la prend dans ses bras, il ne doit pas s'en priver.

A cheval sur une chaise, elle fixe Cécile, installée sur la cuisinière avec une provision de pain d'épice beurré.

« Elle a commencé par me demander de lui filer mes cent francs d'anniversaire en disant que c'était urgent, raconte la Poison. J'ai juré de rien dire à personne.

— Eh bien, bravo! dit Bernadette. On te confiera des secrets!

— Vous, c'est personne », se rebiffe Cécile.

Et après que nous l'ayons remerciée :

« Tout de suite après le déjeuner, elle a dit qu'elle allait se promener mais elle est partie pour Paris.

— Qu'est-ce que t'en sais ?

— Mme Cadillac l'a déposée au R.E.R.

— Pour l'instant, je ne vois rien d'extraordinaire dans tout ça, dis-je. Claire a bien le droit d'aller voir des amis à Paris !

— Et le fric ?

— Pour aller au cinéma par exemple.

— Alors, ça devait pas être un film marrant, dit la Poison, parce qu'en rentrant elle avait les yeux comme des huîtres, et, quand je lui ai demandé si elle s'était bien amusée, elle n'a pas répondu et elle a filé droit vers l'Oise comme si elle voulait s'y jeter. »

Mon regard croise celui de Bernadette. Ce qui m'ennuie c'est que Claire ait pleuré. Claire ne pleure jamais. La dernière fois c'était il y a un an, après sa fugue, quand on est allé la chercher pour la ramener à la maison. Et c'était de bonheur après qu'on lui eût annoncé qu'on la laisserait tranquille.

« Pour moi, elle a un mec, déclare la Poison. Quand on est amoureux, on est attiré par l'eau, les fleuves, les lacs, tout ça, regardez Lamartine. Elle a un mec et ça colle pas !

— Ce mec, il serait venu bien subitement, fait remarquer Bernadette. A moins que ce soit celui de San Francisco.

— M'étonnerait, dit Cécile. Ou ça lui aurait poussé avec l'absence. Là-bas, c'était pas ça. »

J'approuve. Celui de San Francisco, c'était Jérémy, un jeune avocat barbu qu'elle aimait bien, sans plus. Ils avaient fait l'amour pour la tendresse. C'est tout. On ne tombe pas malade de tendresse ! Dommage, d'ailleurs !

« Vous êtes drôles, dit Bernadette. Pourquoi ça serait forcément l'amour ? Il y a quand même pas que ça sur le marché ?

— Facile à dire quand on a trouvé, rétorque Cécile.

Parce que jusqu'à ce qu'on ait trouvé, justement, on ne pense qu'à ça, figure-toi. »

Et elle ajoute :

« Ce soir, y'a un soufflé. On fera le test.

— Le test ?

— Si elle demande pas à gratter le plat, on saura que c'est grave. »

Elle regarde par la fenêtre.

« La voilà qui rentre. Barrez-vous ! »

Claire est apparue au bout du jardin, où une vieille porte rouillée, dont la clef est cachée sous une pierre, ouvre sur l'Oise.

C'est un endroit où l'eau va tranquille le long d'une berge étroite qu'elle mord en clapotant lorsqu'une péniche passe. Les pêcheurs n'y viennent plus, à cause des bateaux à moteur, et les pontons pourrissent. Lorsque nous nous sommes installés à *La Marette*, on pouvait encore se baigner sans risque de s'empoisonner ; je garde le souvenir de cette eau sur mes épaules et du moment délicat quand, pour remonter, il fallait se hisser sur la berge boueuse.

Les yeux sur le gravier, la princesse vient sans hâte vers la maison. Elle a son manteau et son sac, ce qui lui donne l'air en visite.

« Merde, qu'est-ce que c'est compliqué, les filles », soupire Bernadette en filant vers sa chambre.

Je laisse Cécile sur sa cuisinière, s'appliquant à prendre l'air pur de qui sait garder des secrets, et je monte. La porte de maman est entrouverte. Je connais cette odeur. J'entre.

Elle peint. Je crois qu'elle aimait déjà beaucoup ça jeune fille. Elle s'y est remise il y a deux ans. Huile, collages, un peu de tout. Ma mère croit aux « vibrations » des choses glanées ici ou là : c'est un de ses côtés communs avec moi.

Je m'approche. Elle m'a forcément entendue mais ne

se retourne pas. Cette toile-là, elle l'a commencée au retour de Californie. Il doit y avoir notre bonheur là-bas, la rentrée en tempête, peut-être. Je vois une tache comme un soleil, différents bruns, un gris qui file comme du vent. Ce tissu bleu nuit, est-ce le Pacifique? Je ne devrais pas chercher à deviner. Il ne faut pas, paraît-il. Si l'on cherche, c'est raté. Il faut se laisser emporter. Si la vie est là, elle vous pénètre ou vous empoigne.

J'essaie de vider mon esprit, mais ça court, ça court! Il y a Claire en manteau, sac en bandoulière qui vient vers la maison d'une démarche de condamnée.

Je voudrais en parler à ma mère. Si je parle, elle ne me renverra pas. Elle posera sa colle, ses ciseaux, ses pinceaux pour m'écouter cependant; dans son regard, un moment, il y aura autre chose et peut-être un soupir, alors non!

Je gagne ma chambre. « Gagner sa chambre... » Il y a vraiment des expressions qui me chantent. J'ai laissé exprès ma fenêtre grand ouverte ce matin. Je ne vais pas m'y précipiter. Je veux gagner cet instant où je retrouverai mon paysage favori. Je veux le désirer, m'en priver pour mieux en profiter.

Ce que l'on voit en premier, ce sont les marronniers. C'est leur plus belle époque, la rousse, l'éclatante. Cela ne durera pas. Puis, derrière, apparaissent les toits de Mareuil : ardoises pour la plupart. Bientôt, on ne verra plus qu'eux et le ciel qui, de plus en plus, avec l'hiver, se mariera avec. Les bruits vont avec le paysage : un chien, des coqs, une voiture qui passe, des cris.

Puis il y a la cloche dont la flèche, si je la fixe long-temps, est comme enlacée d'une lumière qui serait l'espoir ou le désir de Dieu.

Je pose ma gibecière et j'y vais. La fenêtre est à ras de sol puisque ma chambre est un grenier. Pour voir commodément, il faut s'agenouiller, mettre ses bras sur l'appui qui s'écaille, appuyer sa tête sur les bras et seulement on peut s'élancer.

Mais quand j'y suis, c'est pour voir entrer dans le jardin, à petite vitesse, la voiture de mon père. Il y a quelqu'un à ses côtés. Antoine, mais, oui ! Il va fermer la grille sans hésitation, comme s'il rentrait chez lui. Il a son col roulé, sa veste de velours, cette façon de se tenir un peu courbé, sans doute parce qu'il est très grand.

Un bonheur m'emplit en le voyant et, comme si ce bonheur l'appelait, il lève les yeux, me découvre là-haut, ouvre les bras, sourit et me salue bien bas.

CHAPITRE IV

LE TEST DU SOUFFLÉ

Au début, on l'a appelé « le remplaçant ». C'est lui qui, en juillet, quand nous sommes partis en Californie, a remplacé papa à son cabinet de généraliste à Pontoise. Si Bernadette n'avait pas eu son accident de cheval, nous ne l'aurions jamais connu. Mais il y a eu cet accident, nous sommes rentrés en catastrophe et Antoine a continué à habiter *La Marette* jusqu'à la fin du mois.

Si je pense à lui, le soir, les yeux fermés, c'est surtout son regard que je vois et il y est tout entier : un regard qui interroge, en profondeur, avec un mélange de douceur et de sévérité. Non ! Plutôt d'exigence... Un regard qui va vers vous mais ne se dévoile pas. D'Antoine Delaunay, nous ne connaissons presque rien.

Il a trente ans et vit à Paris. C'est, paraît-il, un des rares médecins qui acceptent encore de se déplacer, considérant que visiter le malade chez lui fait partie du métier et participe à la guérison. La respiration a une grande importance pour lui. La plupart des gens, affirme-t-il, respirent en égoïstes, faisant pénétrer en eux plus d'air qu'ils n'en restituent ce qui est mauvais pour tout le monde. On avale toujours assez d'air ! L'important est d'expirer à fond en lançant sa pensée vers le monde.

Fin août, le jour où il a quitté la maison pour aller prendre, lui aussi, un peu de vacances, il m'a semblé que quelque chose d'important s'en allait avec lui.

Et ce soir, le voilà de retour !

« Avec une excellente nouvelle ! » dit papa.

Il nous regarde toutes, et son regard brille derrière les lunettes. Maman sourit, attendrie : quand papa est heureux, il le montre tellement qu'il a une attitude d'enfant. On s'attend à le voir battre des mains.

Nous sommes tous au salon où l'odeur du soufflé commence à se répandre. Antoine restera dîner. Il a retrouvé près de la cheminée la place qu'il préférait : debout à côté du tabouret, où moi, j'aime être assise, flammes dans les yeux.

« J'ai accepté un poste à Pontoise », annonce-t-il.

Avec un cri de joie, Cécile lui saute au cou. Le visage de Bernadette s'épanouit. Celui de Claire ne reflète que l'étonnement. Moi, je suis si contente que je n'ose trop montrer le mien.

« Tu vas travailler avec papa ?

— En partie, dit Antoine, je m'occuperai aussi des enfants du I.M.P. »

I.M.P. cela veut dire : Internat médico-pédagogique. Cela veut dire enfants inadaptés. Je remarque que le regard de Claire s'intéresse.

« Et vous allez continuer à habiter Paris ? » interroge maman.

Le regard d'Antoine est joyeux.

« Certainement pas ! J'ai trouvé en pleine campagne une bicoque avec une énorme cheminée et un jardin un tout petit peu plus grand que la cheminée.

— Loin d'ici ?

— A portée de Mobylette, dit Antoine. Eragny ! »

Eragny ? C'est tout près de *La Marette*. Même pas dix kilomètres.

« Pourquoi ? demande Bernadette abruptement, la tête dans les mains, le visage sérieux.

— Est-ce que tu peux comprendre qu'on en ait assez de la ville ? dit Antoine. Qu'on tombe amoureux de l'Oise, de chemins boueux ou d'un bruit de sabots.

— Pour le bruit de sabots, d'accord, dit notre cavalière. Pour le reste aussi d'ailleurs.

— Mais tu seras tout seul dans la maison ? » interroge la Poison.

Il y a un bref silence. On peut compter sur Cécile pour appuyer automatiquement là où c'est indiscret. Seul ? Personne n'accompagnait Antoine, au mois d'août, cela ne veut pas dire que personne ne l'attendait à Paris.

Il ne répond pas vraiment.

« La solitude ne m'effraie pas. Et je compte bien sur vous toutes pour me tenir compagnie.

— O.K. ! » dit la Poison.

Claire s'est levée sans bruit, et, très naturellement, elle sort. Nous avons l'habitude. On dirait que soudain elle manque d'air. Ou qu'elle est appelée ailleurs. J'ai envie de lui dire « reste ». Je sais que cela ne servirait à rien.

Antoine la suit des yeux.

« La maison est un peu installée ? interroge maman.

— Absolument pas. Inhabitée depuis plusieurs années. Il y a deux ou trois meubles, des tas de fissures, des carreaux qui manquent partout, mais il paraît que le toit est bon.

— On t'aidera à la retaper », dit Bernadette.

Tout le monde parle à la fois maintenant. Cécile revendique le lessivage du plafond. Ce qu'elle aime dans le lessivage des plafonds c'est qu'ensuite, quand on descend de l'escabeau, la tête tourne comme après un tour de manège. Papa interroge gravement Antoine sur le jardin. Peut-il espérer y faire pousser quelque chose?

« Des streptocarpus! » lance Bernadette.

C'est pris avec humour. Cela a vraiment l'air d'être une bonne nouvelle pour Charles la venue d'Antoine à Pontoise. Il espère sûrement le voir souvent à la maison. Moi aussi. Moi aussi!

« Et ton Stéphane, qu'est-ce que tu en as fait? demande Antoine à Bernadette.

— On va demain soir demander sa main à ses parents, grommelle notre cavalière. Après, c'est le départ pour l'armée. »

Elle crâne, mais on sent qu'il va lui manquer. Ce ne sera pas dommage! Après le mal qu'on a eu à les rabibocher.

Demain soir, nous sommes invités à Neuilly, chez les Saint-Aimond, une sorte de dîner d'adieux. Hôtel particulier. Grand luxe. On verra bien.

« Je me demande, plaisante Antoine, qui, de Stéphane ou de toi, aura la coiffure la plus réglementaire. »

Bernadette râle en passant les deux mains dans ses cheveux posés comme un toit de chaume sur son crâne. Je vois Claire passer devant la fenêtre, se dirigeant vers le bassin. Lamartine? A quoi? A qui pense-t-elle? Demande-t-elle au temps de suspendre son vol ou, au contraire, de l'entraîner plus vite vers autre chose? Je me souviens d'une conversation avec elle. L'amour, la passion, ne sont pas compris dans le programme de Claire. Trop contraires à la liberté. La liberté de Claire serait-elle menacée? Par qui?

Maman passe la tête par la porte de la cuisine :

« Je sors le soufflé. A table.!

— Je vais chercher la Princesse, dit Antoine. J'en profiterai pour jeter un coup d'œil au jardin. »

Il a déjà quitté la pièce comme s'il craignait qu'on l'y retienne. Maman m'appelle pour l'aider. Par la fenêtre de la cuisine, je vois Claire près du bassin. Elle ne tourne même pas la tête lorsqu'Antoine la rejoint. Elle continue à regarder l'eau, sans bouger.

Il y a un instant, je débordais de joie. Maintenant, je me sens grise de la tête aux pieds, seule, perdue. Antoine parle à Claire en regardant l'eau lui aussi. Que c'est triste un jardin à l'automne ! La nostalgie a ces couleurs, ce cri étouffé qui rejoint en soi un autre cri lointain. Que lui dit-il ? Pourquoi détourne-t-elle la tête ?

Maman a sorti du four le soufflé gonflé. J'ouvre la fenêtre.

« Dépêchez-vous. Le soufflé dégringole. »

Ils se retournent en un même mouvement. Antoine rit.

« On vient ! On vient ! »

Cécile est près de moi.

« Ils ont l'air bien ensemble !

— Tu trouves ? »

C'est quand même près de moi qu'il s'assoit, à table. Et, tout en dépliant sa serviette, il se penche vers mon oreille.

« Il y a quelque chose pour toi dans ma maison. Tu viendras voir ?

— Qu'est-ce que c'est ?

— Cela ne se dit pas. Ça se médite ! »

A nouveau, je suis heureuse. C'était bien ce regard dont je me souvenais. Oui ! Je viendrai.

Pour le soufflé, le test est probant. Quand Cécile veut poser d'autorité le plat sur l'assiette de Claire, la Princesse le repousse. Non merci ! Elle n'a plus faim !

Le regard de Cécile sur Bernadette et sur moi est éloquent et elle s'arrache un gros soupir avant de s'attaquer elle-même au plat.

Mais cela ne veut pas forcément dire quelque chose. Il y a eu, ce soir, un élément inattendu.

Avant-hier, j'ai acheté une robe à Pontoise. J'ai moins

30

envie, en ce moment, d'être en pantalon. Papa sera content, lui que désole notre « uniforme jean » ! C'est une robe fleurie, couleur pervenche, avec un corsage froncé comme on faisait dans le temps. J'y sens mon corps plus libre. Je m'y sens plus libre de lui. Si j'avais su qu'Antoine venait je l'aurais étrennée aujourd'hui. Je serais même allée en classe avec, pour ne pas donner l'impression de m'être mise en frais pour lui.

CHAPITRE V

UN CALENDRIER DE CŒURS

J'AI pensé à lui tard, en m'endormant, et quand je me suis réveillée il était encore près de moi. Ce n'était pas du tout comme avec Pierre[1], l'homme que j'avais aimé l'hiver dernier et avec qui tout était si fort, si suspendu, que le tissu même du bonheur en était douloureux. Avec Antoine, j'éprouvais la paix. Ce n'était plus la mer mais le port. L'arrivée. L'arrivée enfin ! Je me rendais compte que je n'avais été qu'attente. C'est cela qui vous fait tourner la tête à la sortie de l'enfance : toutes ces routes. Et rien encore !

Antoine n'est pas revenu à la maison. Sans en avoir l'air, je me suis renseignée. Il s'installait ! Il disposait de deux semaines avant de prendre son nouveau poste et arrangeait sa maison avant d'y faire venir ses meubles. Ses meubles... C'est curieux. Les meubles et Antoine, cela n'allait pas ensemble. Pourtant, il avait besoin d'un lit comme tout le monde. Il n'y avait aucune raison pour qu'il dorme sur le plancher.

Le village près duquel il avait acheté sa maison s'appelait Moutiers. J'aimais ce nom. Il évoquait pour moi

---

1. Voir *L'Esprit de Famille.*

32

un brave homme barbu, une sorte d'artisan vêtu d'une blouse de travail que l'on pouvait aimer comme un père et pas autrement. Un homme sympathique et rassurant. Cela devait venir d'un roman.

J'ai fait des vœux pour qu'il fasse beau samedi et mes vœux ont été exaucés. Bien sûr, c'était un soleil en sursis mais il s'est montré suffisant à sécher mes cheveux. Je le préfère au séchoir électrique ; il donne des reflets.

Je les ai lavés dès le réveil, et j'étais déjà en robe au petit déjeuner. « Tu es invitée », a demandé Cécile. J'ai dit non. Je ne suis pas certaine qu'elle m'ait crue. C'était vrai pourtant. Je n'étais invitée nulle part.

Toute la matinée quelque chose m'a portée. Je me sentais légère, pas tout à fait là. C'est sans doute pourquoi j'avais envie de me faire pardonner, je ne savais quoi. Maman s'est demandé ce qui m'arrivait quand je lui ai retiré de force l'aspirateur des mains. Je suis passée dans tous les coins.

J'ai attendu quatre heures pour déclarer que j'allais faire un tour. Cela m'arrive souvent, les tours. Tout à coup, j'ai besoin d'un univers plus grand, plus vaste et qui me raconte autre chose que moi. Cécile m'a couru après. Pouvait-elle m'accompagner ? Elle ne dirait rien ! Elle resterait derrière.

J'ai refusé sèchement, et, la voyant, toute petite devant la grille, tenant son vieux vélo, l'air si déçue, je me suis à nouveau sentie coupable.

Après Mareuil, j'ai pris le premier chemin à peu près tranquille et, là, j'ai retiré mon soutien-gorge. J'en avais eu, l'autre soir, chez les Saint-Aimond, le désir très violent alors que nous étions sur la terrasse : offrir à la nuit, à la brise, à la saison, ma poitrine nue.

Je sais que l'idée n'est pas originale et que tout le monde se promène sans soutien-gorge à commencer par Béa dont la terre entière peut voir se balancer les seins sous ses pulls ajustés. Il se trouve que ce n'est pas le genre de la maison. Avec le cheval, Bernadette ne peut pas. Claire n'a pratiquement rien à montrer. Jusqu'ici, je n'ai pas osé.

J'ai caché mon soutien-gorge au fond de mon sac. Le vent plaquait ma robe sur moi. Il m'a ordonné de déboutonner les boutons du haut de mon corsage et cela a été encore meilleur. J'aurais roulé des heures comme ça.

En passant dans Moutiers, j'ai croisé une noce. Un imbécile s'est mis en travers du chemin. Les autres riaient. Il voulait m'arrêter de ses bras écartés. J'ai dû freiner avec les pieds. Il n'y avait pas de raison qu'ils sachent, pour mon soutien-gorge, mais je me suis sentie rougir, et, jusqu'à ce que j'aie tourné la rue, je chantonnais pour me donner le change. D'un seul coup, mon plaisir était gâché.

Il m'a fallu du temps pour trouver la maison. Le docteur Delaunay n'était pas encore connu dans les environs, évidemment. Une vieille dame savait qu'un médecin avait acheté une maison par là. Elle en était toute contente d'ailleurs; et encore davantage quand je lui ai affirmé qu'il s'agissait d'un docteur exceptionnel. J'avais envie de parler avec elle. Je n'étais plus tellement pressée d'arriver.

L'endroit n'était pas du tout comme je l'avais imaginé; beaucoup plus campagne que chez nous. Dans un jardin minuscule mais qui ouvrait sur un grand champ, une maison longue et basse avec des fenêtres carrées et un toit de tuiles qui avait pris la couleur du temps.

Le moteur de ma Mobylette a alerté Antoine. Il est venu avec un grand sourire d'accueil. Il était en bras de chemise comme je l'avais imaginé. Son jean était taché de peinture et il tenait une éponge à la main.

« J'étais sûr que *La Marette* me rendrait visite aujourd'hui. »

Ce n'était pas la Marette, c'était moi. Merci ! j'ai

34

appuyé mon engin contre sa voiture et je l'ai suivi dans le jardin. J'avais reboutonné ma robe jusqu'au col et je me tenais légèrement courbée pour qu'il ne devine pas ma poitrine nue. J'ai remarqué qu'il sentait bon. Je suis sensible aux odeurs des personnes. Il sentait le soleil, l'effort, l'homme. C'était une odeur que j'aimais.

Il a laissé tomber son éponge.

« Tu es ma première visite et ta robe est trop jolie pour que je te mette au travail! Alors je t'offre un jus de pomme et ensuite je te fais visiter la maison. »

Pendant qu'il allait chercher son jus de pomme, j'ai un peu tourné en rond, essayant de regarder les choses, mais ne voyant rien vraiment, à nouveau pleine d'attente.

Quand je me suis retournée, Antoine était devant la maison, une bouteille et deux verres à la main et il souriait. Il y avait une espèce de chien avec lui : poil ras et vilaine couleur crème. On aurait dit qu'il était nu.

Nous nous sommes assis sur un banc posé n'importe où au milieu du jardin. Il a rempli mon verre et me l'a tendu. Il avait des gestes naturels, des gestes justes : ceux qu'il devait faire lorsqu'il était seul. J'ai toujours admiré les gens qui ne changent rien à eux parce que vous êtes là. Cela me donne de l'espoir pour plus tard.

Après s'être servi, il a posé la bouteille entre nous. Cela sentait vraiment le fruit. Je ne savais pas comment entamer la conversation. Nous avions passé presque trois semaines sous le même toit. Il nous était arrivé de discuter, lui en pyjama, moi en tenue de nuit aussi, de discuter sans problèmes, sans barrières, et là, soudain, ce mur! Pas ce mur, cette distance, cette séparation; peut-être à cause de ce lieu nouveau. Il faut s'habituer à être ensemble dans des endroits différents.

Il a montré le jardin, la maison.

« Je regarde tout ça et je me répète que c'est à moi! Je n'en suis pas encore revenu. Je ne savais pas que ça vous faisait cet effet-là d'être propriétaire. Ça a quelque chose d'émouvant. J'imagine que c'est un peu comme avoir un enfant. D'une certaine façon, on se sent responsable. »

Il a fermé les yeux, respiré profondément : « Et je vais te dire quelque chose : quand je respire, j'ai l'impression que l'air m'appartient. Là, au-dessus de ma tête, c'est « mon » air... »

J'ai ri : « Le vrai capitaliste, alors ! »

Le chien s'était approché et mettait ses pattes sur les genoux d'Antoine pour qu'il le caresse, comme si, lui aussi, lui appartenait.

« Je ne sais pas à qui il est. Il passe ses journées avec moi. »

La main d'Antoine est d'abord allée sur sa tête, entre les oreilles; elle a descendu sur le dos. Enfin, quand le chien s'est étendu, pattes écartées, il lui a caressé le ventre.

J'ai demandé bêtement :

« Vous n'aimiez plus Paris, alors ?

— Ni Paris, ni ce que Paris représentait pour moi. Et sais-tu quand je m'en suis vraiment rendu compte ? Cet été en vivant chez vous. Tu sais, Pauline, vous vivez bien ! »

Il a posé son verre par terre, devant lui. Il l'a fixé. Il avait l'air d'un enfant.

« Et regarde ! Poser son verre sur l'herbe, qui peut faire ça ? Quand il veut : hiver comme été... »

L'herbe, c'était faire beaucoup d'honneur à ces quelques filaments verts qui rampaient entre la caillasse. J'ai ri à nouveau. Je ne savais faire que ça : ricaner sans en avoir envie. Ce dont j'étais curieuse c'était de savoir ce que Paris avait représenté pour lui.

J'ai terminé mon jus de pomme. Cela allait quand même moins mal. Je me tenais à peu près droite maintenant et si cela l'avait intéressé, il aurait pu deviner que sous mon corsage, je n'avais rien et que j'étais émue. Mais il s'est contenté de remplir à nouveau mon verre alors que je n'avais plus soif du tout.

« Et la philosophie ? »

J'ai raconté notre premier cours. Le professeur, surtout : une femme d'une trentaine d'années, petite et sèche, qui a l'air de brûler, l'air de vouloir nous communiquer son feu. Peut-être est-ce cela, la philosophie ? Une autre façon de se consumer : en regardant ses braises et leur éclat dans l'univers. Nous nous étions installées d'autorité, Béa et moi, au premier rang. J'aimais entendre cette femme nous parler de nous comme si chacune était importante, capable de tout : tout apprendre, tout comprendre, tout éprouver, tout faire. J'avais parfois l'impression que ses paroles ne faisaient que soulever des voiles sous lesquels reposaient des vérités que j'avais toujours pressenties. Il suffisait qu'on les dévoile. Et combien de vérités, en chacun, ne seront jamais dévoilées ? Et le seront-elles jamais toutes ?

Après le premier cours, Béa était allée exposer au professeur ses idées personnelles. Je n'avais pas osé. C'était encore trop brouillé. Commençons par la liberté ! Je la veux et je la crains. Je suis prisonnière de cette crainte.

« Prisonnière ? a dit Antoine. Justement ! Viens voir ! »

Il s'est levé et m'a fait signe de le suivre dans la maison. Avant d'entrer, il s'est arrêté :

« Et s'il te plaît, cesse de me vouvoyer ! »

Je n'ai pas dit oui. Et si je n'avais pas envie, moi, de le tutoyer ! En tout cas pas comme ça, sans raison, simplement parce que j'étais venue le voir, un samedi, dans la maison qu'il venait d'acheter ? Et si je voulais qu'il y ait une vraie raison, éclatante, qui rende le vous impossible entre nous et donne une épaisseur au « tu » ?

Nous sommes entrés dans la maison où il faisait obscur et frais. Les murs étaient épais comme ceux d'une ferme et le plafond bas donnait un autre relief aux paroles.

« Regarde le sol, a-t-il dit. C'est pour lui que j'ai acheté la maison. »

C'était un sol fait de larges dalles de pierre aux couleurs douces veinées de rose tendre et de miel. Il y avait aussi l'immense cheminée dont il avait parlé et qui occupait tout un mur de la pièce. Nous avons respiré un moment cette odeur de pierre et de passé, cette odeur de paix !

« Maintenant viens voir. La surprise ! »

Il m'a précédée dans une petite chambre au bout de la maison. Elle était tapissée de très ancien papier fleuri et la fenêtre était ouverte.

Il a montré un coin : « Le lit devait être à cet endroit. »

Je m'en suis approchée. J'imaginais un petit lit de fer avec quatre boules dorées aux angles, comme chez grand-mère.

A la tête du lit fantôme, il m'a montré comme un calendrier qu'une main avait dessiné en se servant des fleurs. Dans chaque fleur, la main avait dessiné un cœur. Certains cœurs étaient barrés, d'autres, non.

« Explique-moi ce que cela veut dire ? a demandé Antoine. Je suis sûr que tu sais. »

Je regardais les cœurs barrés, les autres. Cela voulait dire l'attente. Cela veut dire ce que je ressens la nuit peut-être, et que l'époque la plus belle de la vie, faite de cœurs et de fleurs, passe parfois dans l'impatience et sans qu'on s'y arrête vraiment.

J'ai dit :

« Elle attendait ! »

Il a souri :

« Elle ?

— Evidemment ! »

— Et qui attendait-elle ?

— Vous, qui sait ? »

Là, je n'ai pas pu rire. Il n'a pas répondu.

« Pourquoi avez-vous pensé que c'était quelque chose... pour moi ? »

Il s'était éloigné.

« En un sens, cette chambre te ressemblait. Et tu parlais de prison, tout à l'heure. Ce sont les prisonniers qui barrent les jours, les cœurs... J'ai pensé que tu comprendrais. »

L'horrible chien est entré en remuant la queue et flairant partout. Je suis allée vers la glace. Pourquoi me disait-il tout cela ? Par hasard ?

La glace était soudée au mur, c'est pour cela qu'ils l'avaient laissée je suppose, alors que tout le reste avait été emporté, même les tableaux, ou les posters, dont on devinait l'emplacement sur les murs aux parties plus foncées du papier.

Je me suis approchée tout près. J'espère que les glaces retiennent en un endroit secret l'image de ceux qui s'y sont regardés. J'y ai vu une jeune fille qui me ressemblait. Elle portait une robe pour une fois. Elle était coiffée n'importe comment mais cela allait. Elle avait seulement un peu trop l'air d'avoir faim, d'avoir hâte et de ne pouvoir l'exprimer vraiment.

Derrière elle, j'ai vu Antoine s'avancer en souriant. Alors ma tête a commencé à tourner. C'était la plus belle heure comme je l'avais imaginée. Dehors, la campagne battait comme un tambour lointain. Je ne pouvais pas parler alors je l'ai regardé et je l'ai appelé.

Il a posé sa main sur mon épaule.

« Pauline ! »

Sa voix était émue. Je me suis laissée aller contre lui. J'ai senti son bras ferme autour de mes épaules. Je me suis sentie emportée.

Mes jambes suivaient ses jambes, pas moi. Moi,

j'étais restée dans la chambre et je le regardais venir vers moi. Tout restait possible.

Le jardin, le banc. Mon verre à nouveau plein dans ma main, le sien posé dans l'herbe. Il m'expliquait ce qu'il comptait faire comme peinture. Du blanc, rien que du blanc partout, qu'en penses-tu ? Et l'encadrement des fenêtres et des portes de couleur foncée comme en Angleterre, tu verras, cela donne une impression de chaleur, de confort, un peu théâtral sans doute, mais pourquoi pas ? Il comptait absolument sur moi pour venir l'aider et je devrais montrer le chemin aux autres, même à Claire. On la mettrait aux finitions.

Je nous ai entendus rire. En ce qui concerne la Princesse, elle n'a jamais tenu d'autre pinceau que celui qui sert à l'ourlet de ses lèvres. Il me regardait bien en face et moi, je pensais à ce crétin de soutien-gorge, au fond de mon sac. J'avais deux solutions : soit m'arrêter à nouveau sur la route pour le remettre, soit monter dans ma chambre en courant. De toute façon, c'était la défaite et la honte.

Le ciel était de la couleur du papier fleuri dans la chambre de la jeune fille, de la couleur des cœurs, de ce qui fane, des occasions perdues, des idées que l'on se fait. Le chien était étendu aux pieds d'Antoine et levait parfois, vers lui, un œil bordé de rouge qui semblait implorer sa pitié.

En me raccompagnant à ma Mobylette, il m'a dit d'une voix convaincue qu'il serait très heureux si je voulais le considérer comme un ami. Il m'aimait très affectueusement et en cas de besoin il désirait que je fasse appel à lui.

Appel à lui !

CHAPITRE VI

« AUX DÉLICIEUSES »

Et puis c'est dimanche! Bernadette passe la journée chez les Saint-Aimond : Stéphane part demain. Claire a accepté de venir à Paris avec moi voir *King-Kong*, ancienne version, qui se donne au Quartier latin. Quelqu'un a dit à la Princesse qu'elle ressemblait à l'héroïne; ça lui a plu. Je lui offrirai l'entrée. Apparemment, il ne lui reste rien des cent francs prêtés par la Poison.

Nous briguons la séance de seize heures. J'aime arriver au cinéma quand les lumières sont encore allumées et que les gens s'installent en parlant à voix basse, dans la promesse des moments à venir. La publicité ne m'ennuie pas. Elle donne le temps de se préparer à la suite, de la mériter. Avec un esquimau, c'est parfait! Je le fais durer jusqu'au début du film.

Il n'y a pas beaucoup de monde, à cette heure, sur cette ligne de métro. Les gens partent encore en weekend. Et la chasse est ouverte! Ce matin, ce sont les coups de feu qui m'ont réveillée. A l'heure de l'apéritif, le café-tabac de Mareuil est plein d'hommes, fusils sous le bras, la mine grave. Tuer est une affaire sérieuse. Quand l'adversaire se défend, c'est plus excitant! Quand il a eu peur, il paraît que son goût est encore meilleur. Pouah!

Dans notre compartiment, il y a un couple auquel on aurait du mal à donner un âge : quelque part entre quarante et soixante. Ils ne se parlent pas mais n'ont pas l'air trop mal ensemble. Habitués! Sur une autre banquette, une femme avec une petite fille à l'air très sage. Elle porte de trop beaux vêtements dans lesquels elle n'ose pas bouger. Ça existe encore! Sur la banquette à côté de la nôtre, une vieille dame. J'aime les personnes âgées, fragiles et neigeuses dont le regard raconte, en pâli, les histoires du passé. J'ai envie de les remercier d'être encore là. Celle-ci est très petite et occupe un minimum de place. Elle porte un tailleur gris, pied-de-poule. Ses chaussures semblent trop grandes pour elle mais ce doit être à cause de la maigreur des chevilles.

Plus tard, tout à l'heure, je me dirai que je l'avais remarquée. Je me souviendrai de détails sur lesquels, pourtant, mon regard passe très vite : les bas gris, opaques, le drôle de chignon retenu par une quantité de peignes alors que vraiment ce n'est pas l'abondance qui règne. Et aussi son sac, d'une autre époque. Plat et haut avec un fermoir qui doit faire « clac ». Un sac comme en ont certaines filles dans ma classe; et quand elles y cherchent leur peigne ou leur agenda, on dirait qu'elles espèrent y trouver autre chose en plus. N'oublions pas un détail important : une boîte à gâteaux que la vieille dame tient sur ses genoux et qui vient d'une pâtisserie dont on peut lire le nom : *Aux Délicieuses.*

Claire a lu comme moi et m'adresse un sourire. *Aux Délicieuses*... Ce paquet, nous nous en souviendrons!

Ils montent à Duroc! Ils sont trois. Leurs coiffures sont identiques, vulgaires, on dirait volontairement laides : une sorte d'aile brillante, gominée, rejetée en arrière. Tous les trois portent des blousons et des bottes à bout ferré, très pointu. L'un a les yeux cachés par des lunettes noires.

Leur œil a fait le tour du compartiment. Ils choisissent la vieille dame. Un à côté, deux en face. Ils sont donc tout près de nous. Lorsqu'ils prennent place, je remarque la chaîne attachée autour de la taille de celui aux lunettes noires. Les extrémités pendent entre ses jambes.

Les portes se referment et le métro démarre. La vieille dame s'est tournée vers la fenêtre, mais cela ne doit pas l'empêcher de les voir. Dans le métro, les fenêtres sont des miroirs.

Je me tourne vers Claire. Elle m'adresse un sourire qui me rassure un peu puis regarde ailleurs. Je me fais peut-être des idées; ils peuvent s'être assis là par hasard. Les autres occupants du wagon regardent dans notre direction. Prudemment. Un regard qui n'engage pas : un effleurement. On dirait que la femme se tient plus près de son mari. Celle qui se trouve avec la petite fille se lève presque tout de suite et s'approche de la porte. Est-ce vraiment sa station? Elle tient la main de l'enfant qui tourne la tête pour regarder les bottes des trois nouveaux venus. Ces bottes qui ressemblent à des armes, qui en servent peut-être. La mère se penche vers l'enfant qui détourne son regard. Il y a aussi, au bout du wagon, un homme qui vient de monter et lit son journal.

J'ouvre le programme de cinéma et cherche la page de *King-Kong*. Je m'efforce d'avoir des mouvements naturels. Il faut agir comme s'ils étaient de simples passagers, même si on craint qu'ils ne le soient pas. Il ne faut pas leur donner des idées. Mais quand celui à la chaîne en prend les extrémités entre ses doigts et commence à les faire tourner je comprends que je ne me suis pas trompée : les idées, ils les ont. Et, pacifiques, certainement pas.

A nouveau, je me tourne vers Claire. Elle fixe la vieille dame. Celle-ci est toujours tournée vers la fenêtre. On devine son émotion à la façon dont elle se colle à la paroi du wagon, dont elle semble essayer de disparaître. Le type à la chaîne sait bien qu'elle le voit. Il sait bien qu'elle a peur. Il retire lentement ses lunettes et les met dans la poche de son blouson. Son visage est d'une extrême laideur; aplati, mou, blême avec deux yeux sans lumière. Presque une tête d'hydrocéphale. On a dû le charrier mille fois quand il était gamin mais il a pris le dessus, croyez-moi. Il a remonté la pente et se tient tout en haut avec ses airs de caïd et sa chaîne qu'il agite devant les copains qui ricanent.

C'est l'un d'eux qui attaque. Celui-là a tout le bas du visage dévoré par des marques de boutons, avec une peau blanchâtre, malade. Il montre le paquet de gâteaux.

« Vous avez vu ? Elle a pensé à nous la grand-mère ! C'est gentil, ça ! »

Mon cœur commence à battre quand il tend le doigt et le glisse dans la boucle de la ficelle dorée, quand il soulève le paquet des *Délicieuses*, sans cesser de sourire ni de regarder sa victime qui est bien obligée, maintenant, de faire face, qui ne peut plus ignorer ceux qui se trouvent en face d'elle, ni cacher sa peur, ses lèvres qui tremblent.

« Elle a pensé à notre petit quatre heures », poursuit le salaud.

J'éprouve une sorte de vertige. Je dois faire quelque chose pour cette vieille. C'est sûr. Je regarde les manettes d'alarme. Il y en a partout. De chaque côté de chaque porte. Mais si je tire, qu'est-ce qu'ils feront ? Combien de temps quelqu'un mettra-t-il à venir ? Cela ne sera-t-il pas bien pire ? Et les gâteaux, ils ne les ont pas encore pris !

Nous arrivons à la station, aux lumières, aux murs

couverts de publicité. Peu de passagers sur le quai. Soudain, la vieille dame se décide. Elle se lève d'un mouvement brusque et, sans chercher à récupérer son paquet tente de passer. Elle dit même « pardon », je crois! Elle le murmure.

Les jambes des trois salauds se tendent, lui barrent le chemin, et celui qui a la chaîne la fait tourner.

« Je suis sûr que c'est pas ta station. Qu'est-ce qui se passe? On te fait peur? »

Alors, elle retombe sur son siège, elle se tourne vers nous avec des yeux qui crient : « Au secours! »

La femme et la petite fille sont descendues. Au dernier moment, le couple se lève et les imite. Je regarde Claire. Claire ne bouge pas. Elle fixe une publicité, sur le quai. Il ne reste, là-bas, que le monsieur derrière son journal. Deux stations encore pour nous. Je le calcule confusément. Je suis consciente de chaque partie de mon corps; mes genoux serrés l'un contre l'autre, ma main qui tient le programme de cinéma, comme si les trois voyous avaient les yeux fixés sur moi alors que ce n'est pas le cas du tout.

Si quelqu'un les intéresse, c'est Claire. Celui aux boutons la regarde souvent. Elle l'ignore. Pour ignorer, fiez-vous à elle!

Personne n'est monté.

C'est déjà la sonnerie indiquant que le métro va repartir, que nous allons à nouveau être prisonnières. Si le wagon était plein, cela changerait tout sûrement!

Juste avant que la porte se ferme, un garçon et une fille se glissent dans le wagon. Ils sont essoufflés, ils rient de plaisir d'y être arrivés. Nous démarrons. Je peux voir, sur le quai, le couple sans âge. Ils sont arrêtés près de la sortie et cherchent à repérer notre wagon, celui où ils se trouvaient il y a un instant. Peut-être vont-ils avertir quelqu'un? Mais qui? Et de quoi? Une sorte de désespoir m'emplit. J'aurais peut-être dû tirer la manette d'alarme. C'est trop tard.

Le type qui a pris le paquet l'ouvre sans hâte avec ses gros doigts. Ce sont des palmiers. Comme on les fait maintenant : deux, avec une couche de confiture au milieu. Appétissants.

La vieille dame évite de regarder ses gâteaux. On dirait qu'elle ne respire plus. Le garçon présente le paquet à ses voisins qui se servent en prenant des mines gourmandes. Il se tourne vers nous, Claire et moi, et nous présente la boîte. Je fais « non » de la tête. Claire ne bouge pas. Comme si elle n'avait pas vu. Ce qui est terrible, c'est qu'ils semblent avoir tout leur temps, être sûrs que personne ne les arrêtera. Ils sont tranquilles. Ils profitent du moment.

« Savez pas ce que vous perdez, dit celui à la chaîne, la bouche pleine. Des petites merveilles, ces gâteaux ! Même ma mère en fait pas de pareils. »

Les autres rient. Le fait qu'il ait parlé de sa mère augmente ma peur. Je me dis qu'il n'y a pas de pitié à attendre de lui.

« Et si elle nous montrait ce qu'elle a dans son sac ? » propose le troisième.

Celui-là n'avait encore rien dit et j'espérais qu'il était différent des autres. C'est le seul qui ait un visage normal ! je veux dire, sans laideur particulière. Mais la voix est affreuse : celle de quelqu'un que les paroles ne peuvent atteindre.

Le garçon et la fille qui viennent de monter ont compris. Ils regardent la vieille dame recroquevillée, les trois types, nous. J'essaie de capter leur regard mais il a passé trop vite. Le garçon a pris la main de la fille et ils vont à l'autre bout du wagon. Ils ne s'assoient pas. Ils descendront à la prochaine.

Le sac de la vieille est maintenant sur les genoux du type à la chaîne. Elle essaie de dire quelque chose mais rien ne vient. Elle tend les mains. Ils rient. Leurs jambes allongées, six jambes pareilles en jean, obstruent complètement le chemin.

Claire se lève. Je l'imite aussitôt. J'ai le corps d'une autre : un corps de bois. Et, au-dessus, dans ma tête, une sorte de bouillonnement. Je n'arrête pas de me dire : « Il faut faire quelque chose! » Je n'arrête pas de remettre à plus tard, tout à l'heure, dans une minute, au prochain geste.

J'ai toujours pensé que si on attaquait quelqu'un devant moi je le défendrais. Mais a-t-on vraiment attaqué cette femme? Pour l'instant, ils ne l'ont pas touchée. Les palmiers, qu'est-ce que ça fait? Le sac? Ils vont le lui rendre. Ils plaisantent. C'est si on intervenait que, peut-être, cela tournerait mal.

Notre station, ce n'est pas la prochaine, c'est l'autre. Claire a-t-elle l'intention de descendre avant? Elle n'est pas allée jusqu'à la porte. Elle regarde la vieille dame et je lis dans son regard comme une grande concentration.

Et c'est la station, les affiches, les gens qui ne nous aideront pas.

Le couple descend. Pas nous! Quelques personnes montent. Ils regardent dans notre direction, semblent flairer quelque chose et, sans trop de hâte, pour ne pas avoir l'air, choisissent l'autre bout du wagon.

Certaines personnes racontent leurs aventures, disent : « C'était comme un cauchemar. » Ce n'est pas comme un cauchemar. Au contraire. Je suis prise, liée, plongée dans la réalité.

Pourquoi Claire s'est-elle levée puisqu'elle n'avait pas l'intention de descendre? Le métro repart. Cette fois, c'est la prochaine.

L'inventaire du sac est fini. Ils semblent déçus. Un billet de dix francs, des papiers, une lettre. Le boutonneux tend les mains vers les oreilles de la vieille dame.

« Visez-moi ces machins, vous croyez que c'est du vrai, les mecs? »

Ce sont deux petites perles. Elles ont l'air de faire partie de la chair; elles doivent y être depuis toujours. Quand le type tend la main comme s'il avait l'intention de les arracher, la vieille dame se rejette en arrière, affolée. Elle cache ses oreilles de ses mains. Ils rient.

« Fichez-lui la paix! », dit Claire.

Ils ne s'y attendaient pas du tout. C'est un ordre. Glacial.

Quand Claire parle comme ça, à la maison, on sait qu'il est inutile d'insister. Il y a un regard aussi : bleu perçant, bleu mépris. La vieille dame s'est tournée vers elle. Elle libère ses oreilles. Dans ses yeux, tremble quelque chose de fantastique, qui respire l'espoir! Je n'oublierai jamais! Les autres personnes ont entendu, c'est forcé. Claire a parlé fort, exprès. Mais tout le monde regarde dans sa vitre.

Claire dit : « Fichez-lui la paix! », et, d'un geste calme auquel ils ne s'attendaient pas non plus, elle récupère le sac et tend la main à la vieille dame.

« Venez! On descend! »

Plus un regard pour les trois salauds. Fini. Effacés. Pas dignes de la moindre attention.

Ils se regardent avec un sale sourire. Celui à la chaîne a de la confiture au coin de la bouche. Je suis près de la porte. Je devrais me rapprocher, dire que je suis avec Claire, mais j'ai l'immense espoir qu'ils vont les laisser descendre.

La vieille dame se lève d'ailleurs; son regard sur celui de Claire qui sourit pour l'aider. Mais, en même temps qu'elle, les trois garçons se sont levés aussi. La boîte de gâteaux glisse à terre; les palmiers se répandent.

« Regarde ce que tu as fait des gâteaux de la grand-mère, dit, à Claire, celui à la sale voix. Elle va pas être contente, tu sais. »

Comme si elle n'avait pas entendu, Claire tend à nouveau la main vers la vieille dame :

« Venez ! »

Ils font maintenant, tous les trois, face à ma sœur. Ils la regardent de la tête aux pieds. Des gestes copiés sur la télé.

« Je l'ai pas entendue te sonner, dit le boutonneux. Elle reste avec nous. Elle aime la compagnie des jeunes. Toi, t'as qu'à descendre si tu veux. On te retient pas. »

La vieille dame est retombée sur son siège. Elle pleure ! Ils la fixent en ricanant et c'est alors que Claire le dit. Elle les regarde tous les trois, chacun à son tour et bien haut, bien net, elle leur fout en pleine gueule :

« Vous êtes des lâches. Vous me dégoûtez ! »

Cela va très vite après. Il y a un poing qui part et s'abat sur son visage, le visage de ma sœur. Il y a cette fille qui ne peut être Claire, qui tente de se rattraper au siège, s'affaisse lentement et devient un tas sur lequel ils cognent à coups de bottes.

Je crie : « Arrêtez ! Mais arrêtez donc ! » Ils ne m'entendent même pas. Ils frappent. Ils ne voient donc pas qu'elle est jolie, fragile et qu'elle n'a jamais rien fait à personne. Les gens se sont tous levés mais n'interviennent pas. Comme moi ! Sa jupe est relevée. On voit tout. La vieille dame hurle. Elle hurle d'une drôle de voix pointue. Ce qui est en train d'arriver, c'est tout simplement impossible. C'est comme la mort. Je vais faire quelque chose. Je vais le faire maintenant. Tout de suite. Mais c'est trop tard. Ils ne sont plus là !

Et des gens ont couru sur le quai et crié au conducteur d'attendre, de ne pas repartir. J'entendais les mots : « Agression. Blessée. » Des gens se groupaient pour essayer de voir. C'est fou ce qu'il y avait comme monde, finalement, dans ce métro. J'étais accroupie à côté de Claire qui s'était déroulée mais semblait K.O. J'ai baissé sa jupe. Il y avait du sang sur son visage.

J'avais peur pour ses yeux à cause des bouts ferrés de leurs bottes. Il y avait des tonnes de plomb dans ma gorge. C'était vraiment très douloureux. Il ne passait qu'un filet d'air qui sifflait.

Deux hommes ont aidé Claire à se relever et ils l'ont presque portée jusqu'au banc pour l'y étendre. Elle était très pâle. Elle saignait du coin de l'œil et de la bouche. Ils lui ont demandé si elle avait mal. « Oui, un peu, là ! » Elle montrait son côté. Elle parlait avec difficulté comme si elle avait en même temps mâché quelque chose. « Elle a peut-être quelque chose de cassé », a dit quelqu'un. « Y a-t-il un médecin ? »

Il n'y avait pas de médecin. La vieille dame s'est assise à côté de ma sœur, elle a pris sa tête sur ses genoux comme on le voit faire dans les films. Elle a sorti un mouchoir de son sac et a commencé à essuyer son visage. Elle n'arrêtait pas de répéter : « Elle m'a sauvée. Vous savez qu'elle m'a sauvée », avec un air de ne pas oser y croire encore. Elle disait aussi à Claire, avec une voix de grand-mère : « Ne bougez pas, mon enfant, ne bougez surtout pas. » Et elle pleurait à petits coups.

Tout le monde parlait maintenant. Maintenant, tout le monde voulait faire quelque chose. Comme cela avait été silencieux, dans le wagon, pendant ces trois stations ! Ils prennent le paquet de gâteaux, ils fouillent dans le sac, ils tendent la main vers les perles du passé enfoncées dans la chair... Comme cela avait été lourd de silence jusqu'à Claire.

Quelqu'un a parlé de Police-Secours et d'hôpital. Claire essayait de se redresser. Elle disait : « Non, ce n'est pas la peine », mais on voyait bien qu'elle n'était pas brillante, c'était maintenant qu'elle semblait avoir peur, elle tremblait de tous ses membres, et, quelqu'un a retiré sa veste et l'a posée sur ses jambes.

Je n'ai pas vu le métro repartir mais quand un autre

est entré en gare j'ai remarqué tous ces visages qui regardaient dans notre direction. Ils pouvaient penser qu'ils auraient agi, eux !

« Vous la connaissez ? »

C'était à moi qu'on s'adressait. J'ai répondu : « C'est ma sœur. » J'avais honte de n'avoir aucune blessure. Je tenais toujours le programme de cinéma. Je n'avais même pas perdu la page.

Claire m'a cherchée des yeux. Je me demandais si elle me pardonnerait jamais. Je crois que sa grimace voulait être un sourire. Je me suis penchée sur elle. Elle a ordonné de sa voix pâteuse : « Appelle papa. Il faut absolument qu'il vienne. Tu m'entends ? Absolument. J'ai quelque chose d'important à lui dire. »

CHAPITRE VII

VOIR CHARLES, D'URGENCE!

CELA sonne bien dix coups et, au bout, c'est Cécile qui répond. Je demande papa. Elle a reconnu ma voix bien sûr! : « Il est au fond du jardin. Je peux faire la commission? » Je dis « non ». Elle insiste : « Qu'est-ce qui se passe? Vous n'êtes pas au cinéma, alors? » Je rassemble toute ma force pour implorer : « Je t'en supplie, appelle-le, dépêche-toi! » J'entends son souffle. Je sens son hésitation. Je répète : « Dépêche-toi! » Enfin, elle dit : « Okay! »

Il y a le bruit sec du récepteur qu'elle pose et ses cris : « Papa! Papa! C'est Pauline! Vite! » Elle doit appeler de la fenêtre. Maintenant, elle dévale l'escalier, elle court dans le jardin. Et maman? Où est-elle? Je n'ai pas envie qu'elle vienne au bout du fil. C'est mon père que je veux! Cécile court dans le jardin qui est paisible et abandonné à l'automne. Cécile galope dans le bonheur.

Les mots se pressent en moi : trop nombreux, étouffants. Je dirai d'abord : « Ce n'est rien, presque rien, ne t'inquiète pas. » Je dirai...

La voix de papa.

« Allô? »

Il est essoufflé. Il a dû courir lui aussi. Cécile est peut-être près de lui. Maman ?

Je bredouille : « Claire... — Oui, répond-il. Qu'est-ce qui se passe ? »

Mais c'est terminé, verrouillé. Tout ce qui s'est amassé en moi durant ces terribles moments dans le métro remonte en flots à ma gorge, barre le passage aux mots préparés. C'est, avec la voix de mon père, d'imaginer, là-bas, *La Marette* ! Ceux qui y sont et ne savent pas encore :

« Allô ! allô ! »

Je refais un effort, il ne sort de ma bouche qu'un souffle rauque. C'est malin ! Il va croire qu'elle est morte ! Mais c'est aussi de se dire que plus jamais rien ne sera pareil ! Plus jamais !

« Calme-toi, dit la voix là-bas. Respire à fond ! Prend ton temps. Qu'est-ce qui est arrivé à Claire ? »

Le « respire à fond » achève de m'asphyxier, bien sûr ! Mais j'ai senti une telle inquiétude dans la dernière phrase que je parviens à m'arracher un « rien de grave ». Le reste suit comme ça peut, à grand renfort d'ongles enfoncés dans la paume : métro, vieille dame, rockers.

« Sais-tu ce qu'elle a exactement ?

— Une dent cassée, ça c'est certain ! Aux dernières nouvelles, elle l'aurait avalée. Des côtes esquintées sans doute. C'est ce qu'on est en train de regarder à la radio. Mais elle veut te voir le plus vite possible ! Elle a quelque chose d'important à te dire. Les premiers mots qu'elle a prononcés ont été pour te réclamer. D'urgence ! »

Il y a un silence quand j'ai fini. Puis, d'une voix très calme, mon père dit :

« Je viens ! Ne t'en fais pas. Cochin est un excellent hôpital. D'accord ?

— D'accord ! »

Je pose l'appareil. La vieille dame m'attend dans le couloir. Tout le monde l'a prise pour notre grand-mère et on l'a laissée monter sans histoire dans la voiture de Police-Secours, à côté de Claire, dont elle refusait de lâcher la main. Elle s'appelle Louise. Elle aura soixante-dix-neuf ans dans trois jours. Elle est arrière-grand-mère. Les palmiers à la confiture de framboise, c'était pour le goûter de ses arrière-petits-enfants. Elle me relaie à l'appareil pour appeler son fils journaliste.

Nous l'avons attendu devant le pavillon des urgences où l'on avait transporté Claire. Des petites allées sans mémoire menaient aux différents bâtiments. Tout était figé dans un uniforme gris et pourtant, même ici, on sentait que c'était dimanche : quelque chose dans l'air.

J'ai vu venir vers nous un homme de l'âge de papa, petit, avec barbe et lunettes. Il semblait agité et ému. Il sautillait comme un oiseau.

Dans ses bras, la vieille dame a recommencé à pleurer. Il ne l'a pas lâchée pour me serrer la main.

« Que s'est-il passé ?

— Elle a été attaquée par trois types. »

Entre ses sanglots, elle n'arrêtait pas de répéter :

« Personne ne bougeait ! Personne ne faisait rien ! Ils étaient tous aveugles ! »

Elle me demandait sans cesse d'approuver :

« N'est-ce pas ? N'est-ce pas ? »

On aurait dit que, pour elle, je n'étais pas comprise dans le lot des lâches, puisque ma sœur avait agi.

Je répondais « oui ». J'avais l'impression de témoigner contre moi.

Nous sommes retournés dans la petite salle d'attente. Je me souviens, sur un comptoir, de plusieurs flacons renfermant du sang. Au bout d'un moment, une infirmière est venue nous chercher. Nous pouvions aller voir Claire maintenant : chambre 42. Les radios avaient montré deux côtes cassées. A part ça, la dent et un bon nombre d'ecchymoses. Rien de grave. On lui avait fait une piqûre. On l'avait bandée. Elle venait de prendre un calmant. Il ne faudrait pas la fatiguer.

Il y avait une autre personne dans la chambre : des cheveux gris, les yeux fermés, l'air mal en point. Appuyée à son oreiller, Claire nous a regardés venir vers son lit. Elle portait une chemise blanche en grosse toile, style orphelinat. Son œil gauche était complètement fermé, sa lèvre avait encore enflé. A part ça, un peu toutes les couleurs sur sa joue gauche.

Elle a demandé tout de suite :

« Papa ?

— Il arrive ! »

Elle a poussé un gros soupir.

La vieille dame lui a présenté son fils. Il a pris la main de Claire et lui a dit simplement « merci ». C'était un « merci » profond, où il tentait de faire entrer tout le reste.

La Princesse a répondu avec les paupières. « La » paupière plus exactement. Elle semblait plutôt moins bien que dans le métro, plus abattue. Le calmant peut-être. Ou la chemise.

Elle a désigné son sac.

« Passe-moi ma glace. »

C'était un tout petit miroir, heureusement ! Elle ne pouvait voir qu'une partie du spectacle. Elle a regardé d'abord son œil, puis sa bouche.

« Dans quinze jours, a dit le fils de la vieille dame, il ne restera plus rien. »

Il ne pouvait pas savoir qu'elle considérait comme un devoir d'être la plus belle, la plus parfaite possible, dans le moindre détail. Elle a répété : « quinze jours », comme si c'était la fin du monde, et m'a demandé de brosser ses cheveux. Je l'ai fait très doucement pour ne pas lui faire mal.

Dans le lit voisin, la femme avait ouvert les yeux et

nous regardait comme si elle nous connaissait depuis toujours, ou plutôt comme si pour elle il n'y avait pas de différence entre nous et d'autres. Entre nous et n'importe qui. Il y avait une question que je voulais absolument poser à Claire : une question importante pour moi. J'ai profité d'un moment où la vieille dame parlait avec son fils.

« Est-ce que tu as eu peur ? »

Son regard est allé vers la fenêtre et j'ai su qu'elle revoyait les trois salauds, leurs bottes, la chaîne.

Elle a dit : « Horriblement ! »

J'avais tellement espéré qu'elle répondrait « non ».

Je suis sortie pour aller guetter l'arrivée de papa mais surtout parce que j'étouffais.

Quelques personnes marchaient dans les allées. Des visiteurs et leurs malades ou leurs opérés. Deux jeunes filles se promenaient en se donnant le bras. Leurs chemises de nuit froissées dépassaient des robes de chambre ; leurs cheveux étaient à l'abandon. Elles semblaient avoir tout à fait renoncé à plaire et cela me paraissait une preuve éclatante qu'ici on était en dehors de la vie.

Il y avait aussi, dans une chaise roulante, un jeune homme coupé au ras du bassin. Il fumait et plaisantait avec des amis. Ce qui m'a le plus frappée, je ne sais pourquoi, c'est qu'il s'était laissé pousser la barbe. Sans jambes, j'avais l'impression que ce n'était pas la peine.

J'ai vu arriver mes parents de loin. Maman était là aussi. Ils ont garé la voiture et papa en a littéralement jailli. Il portait sa tenue de jardin.

« Alors ? »

J'ai tout de suite dit pour les côtes et pour la dent. Ma voix sortait très mal. Ils me précédaient vers le pavillon, me regardant à peine, courant presque. Connaissais-je le nom du médecin qui s'était occupé de Claire ? J'ai été incapable de m'en souvenir.

Quand nous sommes entrés dans la chambre, la vieille dame et son fils se sont levés. L'autre malade n'était plus là.

Les parents se sont approchés du lit d'où Claire les regardait en retenant son souffle. Maman est venue tout contre et elle a appuyé quelques secondes son front au drap. Papa avait un visage très changé, un visage de tendresse et d'angoisse. Je ne plaignais plus du tout la Princesse. Pas la plus petite parcelle de pitié. Je lui en voulais d'être là à ma place. C'est tout. Charles a quand même fini par parler.

« Alors ! On ne laisse même plus son père jardiner tranquille le dimanche ? »

Claire a soupiré avec précaution et levé l'œil au ciel. Maman la regardait maintenant, de toutes ses forces, avec ses pansements, son badigeonnage, ses couleurs variées. Elle a souri quand même.

« Je m'excuse, a dit la Princesse de sa voix qui n'arrangeait rien.

— Idiote », a murmuré papa, et il s'est penché très longtemps sur elle pour l'embrasser.

On avait complètement oublié la vieille dame. Elle s'est approchée et elle a repris son refrain.

J'en avais plus qu'assez de l'entendre. Je l'avais plainte dans le métro, avec ses bas opaques, ses palmiers, ses perles incrustées dans l'oreille. Cela allait bien maintenant ! On l'avait sauvée; elle aurait pu avoir le tact de nous laisser en famille !

C'est son fils qui a pris l'initiative du départ.

Avant de sortir, elle est venue reprendre la main de Claire.

« Est-ce que je pourrai venir vous voir ?

— Tant que vous voudrez mais pas en métro », a répondu la Princesse.

Avant d'entraîner sa mère, le fils a dit d'une voix mystérieuse que nous aurions de ses nouvelles.

« Tu as mal ? a demandé maman lorsqu'ils ont eu refermé la porte.

— Un peu quand je respire ! Mais pas trop. J'ai interdiction de tousser et de rire.

— Je vais essayer de voir le médecin qui s'est occupé de toi, a déclaré papa. J'aimerais quand même lire ces radios. »

Il était presque à la porte quand Claire l'a arrêté.

« Papa ! »

Il y avait quelque chose de nouveau dans sa voix et tout de suite mon cœur s'est serré et j'ai su que ce serait grave. Qu'avait-elle dit exactement dans le métro ? : « Il faut qu'il vienne vite ! J'ai quelque chose d'important à lui dire. »

Elle a mis longtemps à le dire. Papa attendait près de la porte, sans comprendre. Elle a soupiré comme elle fait parfois : un soupir de fatalité. Pas trop profond à cause des bandages.

« Voilà ! j'ai reçu plusieurs coups dans le ventre. Je voulais quand même que vous sachiez : je suis enceinte. »

CHAPITRE VIII

COUP SUR COUP

Papa se fige, souffle coupé, yeux écarquillés, comme s'il attendait l'éclat de rire qui fait généralement suite à une bonne plaisanterie. L'éclat de rire ne vient pas ! Claire fixe avec concentration sa main gauche dont un des ongles est cassé. On le lui a coupé ras. Maman est knock-out. Elle s'assoit au ralenti sur une chaise. Il y a un silence immense. Et, comme à chaque fois qu'une de nous a fait des siennes, les parents se tournent vers l'innocente, l'infortunée qui se trouve là par hasard — en l'occurrence, moi — et la regardent comme si, fatalement, elle était dans le coup et aurait dû les avertir.

Je n'étais pas dans le coup. Je ne me doutais de rien et moi non plus je ne peux pas y croire mais tout s'éclaire soudain. Les yeux cernés de Claire, l'emprunt des cent francs, le voyage à Paris. C'était donc bien l'amour ! Cécile avait raison. Mais Lamartine, pas sûr !

Papa revient vers le lit, comme à contrecœur.

« Enceinte, souffle-t-il. Qu'est-ce que c'est que cette histoire ! »

Nouveau soupir de fatalité dans le lit.

« Tu es certaine ?

— J'ai fait des tests.

59

— Depuis combien de temps, interroge maman d'une toute petite voix.

— Six semaines. »

L'Amérique. La Californie. Jérémy. Bien la peine d'aller au pays de la pilule.

Claire ferme l'œil. En un sens, je la sens soulagée. Cela devait rudement lui peser! Mais leur assener ça aujourd'hui! Coup sur coup, si l'on peut dire.

Je la revois dans le wagon, repliée sur elle-même. Pour protéger son bébé? Le bébé de la Princesse... J'ai envie de rire : le petit prince!

Papa est à la fenêtre maintenant, dans son drôle de pantalon qui date de l'époque lointaine où la mode les voulait évasés aux hanches et tuyau de poêle aux chevilles.

Il fait volte-face et, le visage plein de rides, revient vers le lit.

« Tu es enceinte et tu ne nous dis rien! »

Il a beau avoir contenu sa voix, la couleur de son front montre combien cela lui est difficile de rester calme. La rougeur descend d'ailleurs dans son cou.

« Je n'avais rien décidé, dit Claire de sa voix pâteuse.

— Rien décidé! Ça veut dire quoi, ça?

— Tu le sais bien! »

Elle parle d'un ton uni et elle a l'air un peu ailleurs. Bien sûr : le calmant! Tout doit lui arriver feutré, ouaté. Ce serait drôle qu'elle s'endorme.

Maman semble avoir repris ses esprits :

« Jérémy? interroge-t-elle.

— Je ne vois personne d'autre, répond Claire avec un petit sourire.

— Tu trouves peut-être ça drôle, dit papa, pas moi! »

Moi, si! Et il y a une chose certaine. Dans une situation pareille, sans humour, on est foutu!

A nouveau, un silence immense. Les mots sont trop petits.

Claire rouvre les yeux : l'œil.

« Une cuvette, gémit-elle. J'ai mal au cœur. »

Il y a une seconde de panique puis maman se précipite dans le petit cabinet de toilette tandis que papa appuie sur le bouton d'une poirette qui déclenche l'électricité mais pas la moindre sonnerie.

« Essaie de te retenir, ma chérie, dit maman en revenant avec un récipient visiblement destiné à un tout autre usage. Si tu tousses, ça va te faire très mal. »

Claire fixe avec répulsion l'instrument qu'on lui glisse sous les lèvres, à présent partagée entre deux écœurements. Papa, lui, semble hésiter entre pitié et colère. Il regarde maman comme si elle débarquait d'une autre planète : c'est son « ma chérie ! » la façon dont, ça y est, elle a accepté la situation. Claire est enceinte ! Bon ! Passez la cuvette.

« On pourrait discuter de tout ça plus tard, dit-elle. Tu ne crois pas qu'il faudrait la faire réexaminer ?

— Evidemment, dit papa. Je vais voir ça !

— Pas toi ! Surtout pas toi ! » brame la Princesse.

Nous avons toutes horreur d'être examinées par papa. Maman aussi d'ailleurs. Il faut vraiment que nous soyons à la mort, incapables de nous défendre pour qu'il réussisse.

« Ne t'en fais pas, dit-il, je n'ai pas la moindre intention de constater les dégâts. »

On voit desquels il parle ! Arrivé à la porte, il se retourne, nous englobe toutes les trois dans un même regard ulcéré. On dirait vraiment que nous nous sommes liguées contre lui.

« Quelquefois, dit-il, je me demande si je n'aurais pas mieux fait de m'abstenir ! »

Et sur ces aimables paroles qui nous expédient dans le néant, maman en tête, il ouvre la porte d'un grand geste et se trouve en face du bouquet : Antoine !

Je n'oublierai jamais le visage d'Antoine. Dur d'angoisse. Il ne semble même pas voir papa. Il le bouscule et fonce vers le lit. Il se penche sur Claire, la scrute, la hume, la dévore du regard. Puis il ferme les yeux et c'est comme s'il retrouvait seulement sa respiration. Cela dure quelques secondes. Enfin, d'une voix qui n'est pas la sienne, profonde, sourde, il dit : « C'est malin ! C'est vraiment malin d'être brave comme ça ! De défendre les vieilles dames quand tout le monde les laisse tomber ! »

Papa est revenu au centre de la chambre. L'œil de Claire vole vers lui, affolé. Autoritaire, aussi. Facile à deviner ce qu'elle lui demande. Elle ne veut pas qu'Antoine soit mis au courant de la dernière nouvelle : ce qu'on appelle un heureux événement si c'est fait dans les règles; sinon; remplacez « heureux » par « honteux ».

« C'est malin, répète Antoine.

— Je n'ai pas pu faire autrement », murmure Claire.

Alors, le regard d'Antoine fond. Il se penche encore davantage sur elle. Un instant, j'ai l'impression qu'il va l'embrasser mais il se contente, du bout des doigts, très doucement, de caresser sa joue. Nous n'existons toujours pas pour lui.

Il faut que papa laisse échapper une petite toux pour qu'Antoine réalise qu'il n'est pas seul avec Claire. Il se redresse et nous regarde bizarrement, d'un air de triomphe, comme s'il disait : « Je vous l'avais bien dit que c'était une fille formidable ! » Puis, un déluge de questions s'abattent sur Charles : « A-t-on pris des radios ? Qui s'est occupé d'elle ? Et la piqûre antitétanique ? Est-on sûr que tout a été bien fait ? » J'en oublie la moitié.

Papa répond : dent, côtes, choc. Nous pensons « enfant ». Antoine revient vers l'héroïne et lui ordonne d'ouvrir la bouche. Elle proteste que ça va lui faire mal à ses côtes. Excuse rejetée. Il plonge son œil dans la gencive vide et s'engage à y faire remettre une dent magnifique. Ce sera encore plus beau qu'avant.

Claire respire à petits coups.

« Comment avez-vous appris ? » demande maman.

C'est la Poison, bien sûr. Passant à *La Marette* nous dire bonjour, il a trouvé Cécile en larmes. A l'entendre, la Princesse était à la mort. Nous devons d'ailleurs rappeler *La Marette* au plus vite. Il le lui a promis.

J'y vais. Dans le couloir, j'avance, j'avance lentement. J'ai l'impression d'avoir perdu quelque chose. Je suis vide, du vent. Je forme le numéro machinalement. Cécile doit être en faction près de l'appareil car elle décroche avant même que j'aie entendu sonner et me fait jurer de ne pas l'épargner, de tout lui dire.

Je lui annonce qu'elle peut venir pour l'enterrement. Ça la rassure tout de suite ! Quand j'ai tout raconté, moins le plus important, elle m'apprend que Mme Tavernier est là, oui, dans le fauteuil de papa. Elle vient d'appeler sa sœur, religieuse à Angoulême. Je peux dire à Claire que tout le couvent est en prière pour elle.

Cécile voudrait bien avoir d'autres détails mais je n'en peux plus. Je l'autorise à appeler Bernadette chez les Saint-Aimond. Qu'elle appelle la terre entière si elle veut, je m'en fous.

Quand j'en ai fini avec elle, je forme le numéro de Béa. Elle est là. Je supplie : « Invite-moi à coucher chez toi. » Pas de problème ! Ça tombe même bien, paraît-il. Elle n'avait pas l'intention de bouger. Je peux arriver quand je veux. Si j'y tiens, vraiment, on s'offrira *King-Kong* au cinéma. *King-Kong* ? Elle ne comprend pas pourquoi je ris : aux larmes.

Il n'y a plus que Claire et maman dans la chambre quand je reviens. Antoine et papa sont partis à la recherche du médecin, des radios, tout. Maman tient la main de la Princesse.

« Le secret professionnel, ça se respecte aussi entre deux médecins ? interroge Claire avec angoisse.

— Aussi ! dit maman. Et je ne vois pas pourquoi ton père irait annoncer à Antoine ce qui nous arrive. »

J'enregistre le « nous ». J'annonce que je vais chez Béa et y passerai la nuit. Aucune objection chez maman. Elle comprend que j'ai besoin de changer d'air. Eux, ils vont certainement passer encore un bon moment à l'hôpital où l'on doit garder Claire pour la nuit.

Claire me regarde. Je viens l'embrasser. Là où Antoine a passé si tendrement le doigt. Elle sent le médicament. J'ai l'impression qu'elle voudrait me dire quelque chose mais je ne lui en laisse pas le temps.

Alors que je vais vers la porte, maman se souvient que moi aussi j'étais dans le métro.

« Et toi ? Tout va ? Tu es sûre ? »

Je réponds « oui » avec un sourire. Elle le voit bien ! J'ai toutes mes dents, mes côtes sont intactes et je n'attends pas d'enfant que je sache. Tout va !

« Alors à demain !

— A demain. »

Je cours jusqu'à ce que je ne voie plus l'hôpital. Je fuis ce qui nous y a amenées. Les gens marchent comme on marche un dimanche, plus lentement, portant sur le visage un air de liberté. Personne ne sait. Je m'assois sur un siège et je ferme les yeux. Je ne peux plus lire en moi. J'ai eu peur. J'ai eu honte. L'arrivée d'Antoine a tout balayé. Je ne vois plus que son regard, sa hâte, son geste vers la joue de Claire. Je n'éprouve plus que de la jalousie, de la rage, une énorme impuissance. C'est moi qu'il aurait dû regarder comme ça, avec ce visage tendu jusqu'à la dureté : un visage de moment important. Un peu celui qu'avait Pierre juste avant de faire l'amour avec moi, la première fois, je ne l'oublierai jamais[1]. Un visage de métal.

1. Voir L'Esprit de Famille.

Il l'aime! Je n'ai jamais compté pour lui qu'en fonction d'elle. Quand je suis allée chez lui, c'était elle qu'il voyait. J'étais prête à l'aimer. Il me traitait comme une enfant. Un jus de pomme. Merci, monsieur!

Je me lève. Eh bien, Claire est enceinte! Claire n'est pas libre. Voilà!

CHAPITRE IX

LE « 1% » DU COURAGE

Il y avait plein de soleil chez Béa qui m'a accueillie en
kimono japonais. La couleur allait bien avec ses cheveux, un peu roux, avec sa peau encore bronzée. Ses
yeux étaient cernés. Elle avait encore dû se coucher à
des heures impossibles. Béa fait tout ce qu'elle veut; elle
n'a de comptes à rendre à personne, elle!

Elle a tout de suite deviné que quelque chose s'était
produit et m'a entraînée sur le grand lit où ses parents
ne se retrouveront plus jamais, mais où elle aime à dire
qu'ils l'ont fabriquée. Une chance! Un peu plus...

Nous nous sommes installées sur le plaid de guanaco.
Le guanaco est un lama sauvage à la fourrure très
douce. C'est encore plus agréable d'être dessus que dessous. Il paraît que s'y enrouler, nue, c'est le paradis.

Je m'étais promis de ne dire que le minimum, j'ai
tout déballé dans le détail. Moins la grossesse bien
entendu. Moins Antoine. Ils sont montés dans notre
compartiment. J'ai tout de suite su. Je n'ai pas bougé.

Ils auraient pu les tuer toutes les deux, je n'aurais
rien fait de plus. Je me disais sans cesse : « Tout à
l'heure. » Si j'avais été seule, je serais descendue à la
première station, comme les autres. Et je n'avais pas

encore dit le pire : quand ils nous avaient proposé les palmiers, je crois qu'en refusant j'avais souri.

Couchée sur le dos, les bras derrière la tête, Béa m'a écoutée sans commentaires. A son actif, c'est une fille qui sait à peu près se taire quand il faut.

Quand j'ai eu fini, elle s'est tournée vers moi, le kimono ouvert sur tout ce qu'on voulait.

« Et après ? En face d'une situation comme ça, on peut ou on ne peut pas ! C'est comme ça. Il y a ceux qui sautent des ponts pour repêcher les suicidés, ceux qui entrent dans les brasiers, et les autres. Tu es les autres. Tu as agi comme quatre-vingt-dix-neuf pour cent des gens, voilà. Il n'y a pas de quoi en faire une maladie.

— Et toi ? Qu'est-ce que tu aurais fait ?

— Je te répondrai le jour où l'occasion se sera présentée. »

Elle a réfléchi quand même. Son front s'est plissé : « Là, comme ça, à froid, je pense que je les aurais crevés tous les trois. »

L'expression m'a fait rire.

« Pas trop tôt », a-t-elle soupiré.

Elle est allée chercher une bouteille de muscadet Sèvre-et-Maine et du sirop de cassis pour fêter ma résurrection. On s'est fabriqué deux « kir » géants. J'étais dans les quatre-vingt-dix-neuf pour cent qui restaient sur le pont et s'écartaient du brasier. Les 99 pour cent de lâches. Je me sentais plus légère de me l'être entendu dire. Et ça ne semblait pas l'empêcher de m'aimer. Ce que je ne voulais à aucun prix, c'était rentrer à la maison, ni ce soir, ni demain. Me retrouver avec la une pour cent, dans les congratulations, les yeux pochés, les dents manquantes, les regards émus.

Je me sentais bien ici. Dans une sorte de no man's land. Ou plutôt de liberté. C'était cela, cet appartement. On ne s'y heurtait pas, tous les trois mètres, à des souvenirs. Il n'y rôdait aucun relent d'enfance. Les objets ne vous racontaient que leur histoire à eux. C'étaient simplement quelques pièces bien meublées, pratiques, ouvertes sur le Luxembourg ensoleillé où flânaient des inconnus dont on pouvait se dire qu'ils éprouvaient les mêmes sentiments que vous sans en faire toute une histoire. Un appartement sans parents aussi. Avec des parents, pas moyen de se sentir complètement innocente.

Bref! Au bout de deux kir j'adorais cet endroit, Béa, et la façon décontractée qu'elle avait de ne rien cacher de son anatomie. Cela me paraissait une preuve éclatante de sa liberté.

Nous avons décidé de dîner au lit, devant n'importe quelle bêtise télévisée. Elle m'a prêté un kimono. C'était elle qui commandait, et ça ne me déplaisait pas. Elle le voyait bien d'ailleurs, et aurait eu tendance à en rajouter : « Mets-toi là! Prends cet oreiller! Finis la salade... »

Béa a parfois des gestes d'homme, un peu brusques, carrés et nets qui donnent envie qu'ils s'adoucissent pour vous. Elle a aussi une façon virile d'écarter les détails stupides auxquels, souvent, les filles attachent trop d'importance. C'est peut-être l'émotion, mais des pensées étranges m'ont enveloppée, comme si cette journée avait ouvert en moi une porte nouvelle.

Je me disais par exemple qu'il suffirait de très peu pour que j'aime Béa autrement que comme une amie, et pour avoir envie d'être aimée par elle comme on l'est par un homme, plus fortement en quelque sorte. Il y avait juste, ce soir, une frontière très mince qu'un geste de l'une ou de l'autre aurait pu réduire à néant. Et, à cette pensée, au lieu d'être remplie de honte, j'éprouvais, je ne sais pourquoi, une sorte de bonheur.

Ce qui m'enthousiasmait, c'était tous ces chemins dont je sentais de plus en plus l'existence autour de la route qu'on m'avait indiquée et que, si longtemps, j'avais cru être la seule voie et encore un ki s'il vous plaît !

Bien sûr, en un sens, cela pinçait de découvrir qu'il n'y a pas de ligne droite, que nous avançons en tremblant, en aveugle ou les poings sur les yeux, sur des ponts fragiles dressés au-dessus de nous-même et de toutes nos possibilités; mais comme c'était beau de porter en soi à la fois son soleil et sa nuit.

J'aurais pu dire « son courage et sa lâcheté » mais au troisième kir, j'avais décidé que c'était une affaire oubliée.

CHAPITRE X

AUTOUR D'UNE TASSE DE THÉ

Provisoirement! C'était là quand je me suis réveillée mais cette fois je n'en ai pas parlé. J'avais mal à la tête et tout était gris; le ciel aussi. J'aurais eu du mal à exprimer ce que j'éprouvais exactement mais ma vie était changée. Cela allait plus loin que la honte de n'avoir pas agi, que la jalousie envers Claire qui avait fait le geste que j'aurais voulu faire, moi. Dû faire! La colère était tombée. Ce matin; il ne restait qu'une grande fatigue : un écœurement. Je crois que j'en avais assez d'être moi. Tout simplement.

J'ai déjeuné en face de Béa. En silence. A certains moments, on ouvre grand les vannes, on déballe tout et le lendemain c'est fini, complètement bouclé.

Il n'y avait que du café en poudre et de vieilles biscottes rassies, Mademoiselle ne pouvant rien avaler le matin avant sa demi douzaine de cigarettes. Cela a achevé de me démoraliser. Le petit déjeuner, c'est très important : le premier pas de la journée. S'il est raté, c'est fichu.

Au lycée, je me suis débrouillée sans matériel. Le lundi n'est pas une grosse journée; les professeurs savent parfaitement qu'on rentre irrécupérables de

70

week-end et préfèrent mettre le paquet le mardi et le jeudi parce que le vendredi on est déjà en pensée dans les congés.

De toute façon, cela me paraissait ridicule d'aligner des vecteurs et des normes et d'apprendre qu'en 1969 il y avait six chèvres par habitant au sud du Kazakstan alors qu'à cinq cent mètres d'ici des types se balladaient avec des bottes à bouts ferrés pour épouvanter les vieilles dames et vous donner l'occasion d'être lâche.

On peut dire que tout ce qu'ont raconté les professeurs est passé au-dessus de ma tête. Je n'aspirais plus maintenant qu'à rentrer à *La Marette*.

J'ai arrêté le moteur de ma Mobylette un peu avant d'arriver à la grille que j'ai refermée sans bruit.

Ce que je voulais par-dessus tout, comme on se rafraîchit, comme on étanche sa soif, c'était marcher un peu, seule, avant de retrouver les autres. J'avais l'impression de rentrer chez moi après un voyage. Après les voyages, il faut toujours un moment pour se sentir là.

Je me suis dirigée vers les grands arbres, au fond du jardin qui était comme une brûlure, roux de feuilles et de douleur, au pied de la maison écarlate de chèvre-feuille. C'était beau mais un dernier cri quand même. Un dernier cri auquel on ne pouvait rien et, bien que je les aime, j'en voulais à ces grands arbres tranquilles, ces pelouses sages, ces allées, à cette brise dont je connais par cœur le tissu d'odeurs, à tout ce qui m'avait protégée mais ne pouvait plus me cacher l'autre monde qui existait là-bas, tout près, de l'autre côté de la grille!

Il y a eu une course derrière moi : Cécile!

« Je t'ai vue!

— On dirait. »

Elle portait une chemise écossaise qui lui descendait jusqu'aux cuisses, c'est la nouvelle mode. Elle avait dû l'échanger en classe contre un de ses vêtements. Maman ne reconnaît plus rien dans son armoire. Il y en a autant aux autres qu'à elle et ce n'est généralement pas le meilleur qu'elle choisit.

Je continuais à marcher. Elle essayait de voir mon visage.

« Tu as eu très peur ? »

Ce n'était pas dit avec reproche : simplement avec une énorme gourmandise, comme si elle aurait aimé se trouver à ma place.

J'ai dit : « Evidemment ! » avec un grand naturel et un haussement d'épaules qui pouvaient passer pour du courage.

« Moi aussi, a-t-elle dit, respectivement !

— Rétrospectivement ! »

J'ai fait demi-tour et, tandis que nous revenions vers la maison, elle m'a raconté le retour de la Princesse.

Avertis par Bernadette, les Saint-Aimond avaient proposé leur voiture pour la ramener à la maison et papa dont c'était jour de consultation à Pontoise n'avait pas dit non.

Il fallait voir, paraît-il, le spectacle du chauffeur ouvrant la portière pour Claire en soulevant sa casquette, puis, déposant respectueusement dans le coffre le sac en plastique orné d'une croix rouge renfermant les habits souillés de la Princesse. Mme de Saint-Aimond était là avec des fleurs.

Les fleurs sont sur le buffet du salon. Claire est étendue sur le canapé, Bernadette assise en tailleur à ses pieds. Je n'arrive toujours pas à croire que ma sœur est enceinte. En tout cas, Bernadette et Cécile ne savent encore rien !

J'apprends que ce matin la police est venue interroger Claire à l'hôpital. Elle a, paraît-il, fourni une description très vague des trois types et refusé de porter plainte.

« Comme ça, ricane Bernadette, ils pourront recommencer dimanche prochain ! Et cette fois, j'espère qu'ils

72

auront la peau de quelqu'un. Ce sera bien plus amusant !

— Parce que toi, tu les aurais donnés aux flics ? demande Cécile avec reproche.

— Et comment, dit Bernadette. Pour les mettre hors d'état de nuire. Quand on a un cheval vicieux, on le dresse. Parce que le temps qu'on cherche comment étaient les oreilles de son grand-père et qu'on le cajole pour le consoler d'être méchant, celui qui se retrouve les quatre fers en l'air, ce n'est pas lui, c'est sa pomme !

— Et si c'est la société qui l'a rendu vicieux, insiste Cécile.

— Eh bien, en attendant que tu aies contribué à bâtir la société qui rendra tout le monde bon, riche et beau, tu permettras qu'on se défende », dit Bernadette.

Cécile prend ses airs de gauche. Je ne sais pas quoi dire. Il me semble que je n'ai pas le droit à la parole.

« Et ces salauds qui ne bougeaient pas », gronde Bernadette.

Il y a un silence insupportable. Mon cœur cogne.

« Comme moi ! »

Elles se tournent toutes les trois ensemble vers moi. Ce n'était pas ma voix, cette voix rouillée.

« Toi, tu es restée à côté de moi, dit vivement Claire.

— Et ça t'a rudement aidée...

— Plus que tu ne crois !

— Je n'ai pas levé le petit doigt.

— Heureusement ! Je n'avais qu'une peur, c'était que tu bouges. Est-ce que tu crois qu'à deux on aurait été plus avancées ? »

Bernadette fixe le bout de sa chaussure. Cécile semble se demander où je veux en venir.

« Moi, j'aurais été plus avancée, dis-je. Si vous croyez que c'est agréable ! »

Et je sors. Je n'ai vraiment rien à ajouter. D'ailleurs, je ne pourrais pas.

Je vais dans la cuisine et je bois un grand verre d'eau. Deux! Au début, ça passe mal. Ça fait du bruit. Maintenant que c'est dit, je me sens à la fois formidablement soulagée et désespérée.

La porte s'ouvre mais ce n'est pas elles, c'est maman. Elle porte un sac à provisions rempli. Je murmure : « Bonjour » et vais à la fenêtre regarder le jardin.

Elle pose son sac sur la table.

« Béa était en forme?

— Très! »

L'eau n'a pas arrangé ma voix. Maman s'approche. Je me détourne.

« Qu'est-ce qui se passe, ma chérie? »

Hier, elle a dit aussi « ma chérie » à Claire après l'annonce de l'événement. Pour l'événement... à suivre...

« J'en ai marre! »

Un! De ne pas savoir retenir mes larmes; c'est comme s'il y en avait toujours une provision à fleur de paupières. Deux! d'être aussi inintéressante, inconsistante! On ne parle en classe que du moi et du surmoi. Je ne suis personne. Si j'étais quelqu'un, j'aurais eu du courage. Trois! Marre de Claire.

Maman est venue regarder le jardin elle aussi. Elle sent bon. Elle est habillée comme j'aime, comme nous : jean, chemisier, pull. D'abord, elle ne dit rien. Je louche un peu de son côté. On dirait qu'elle en a marre elle aussi. Il y a des cernes sous ses yeux. Il ne manquait plus que ça.

« Si on se faisait du thé? »

Pendant qu'elle allume sous la bouilloire, je prépare les deux tasses.

« L'hiver dernier, dit-elle, à Pontoise, un garçon s'est fait attaquer sous mes yeux. J'étais là, de l'autre côté du trottoir. Il y en avait deux contre lui et l'un avait un couteau. »

Sucre, lait, cuillères. Maman ébouillante la théière. La buée monte jusqu'au plafond.

« Je me disais : « Ils doivent se connaître. » Comme si cela avait été une excuse pour ne pas agir...

— Ils l'ont tué?

— Ils l'ont laissé sur le pavé. Des gens l'ont relevé. quand j'ai vu qu'il pouvait marcher, je me suis sauvée. Voilà. »

Bernadette entre, sourcils froncés. Elle nous honore à peine d'un regard, ouvre le frigidaire, en sort une canette de bière, l'ouvre, s'assoit et attend.

L'eau commence déjà à chanter. Maman verse trois cuillerées de thé dans la théière. J'ai préparé le lait au fond des tasses.

« Et pour ces dames, deux sucres, deux! comme d'habitude! » dit Bernadette en les ajoutant d'autorité au lait.

Voilà Cécile. Elle nous regarde toutes les trois, s'assoit résolument près de Bernadette, boit une gorgée de bière.

Maman verse maintenant l'eau dans la théière.

Quand Claire apparaît, le buste tout raide, Bernadette lui rapproche le fauteuil, le bon vieux fauteuil de paille qui sert à celles qui bouquinent en surveillant une cuisson de près.

« Qu'est-ce qui se passe ici?

— On discutait de toi, dit Cécile, d'hier, de tout. »

Maman verse le thé dans les tasses.

« Je me disais, murmure-t-elle, et sa voix basse ressemble à son visage, qu'on ne parlait en ce moment que de la violence, partout. Et pourtant aucune mère ne saurait que conseiller à sa fille, si elle devait se trouver un jour à la place de Claire. »

Bernadette ne dit rien. Cécile regarde maman, choquée.

« Tu es quand même d'accord pour qu'elle leur soit rentré dans le chou? »

Maman ferme une seconde les yeux.

« Je le pense. »

Sa voix a tremblé. On a l'impression qu'elle l'a dit contre elle-même.

« Si on ne peut pas dire « non » déclare Claire, même toute seule, même contre la terre entière, cela ne vaut pas la peine de vivre. »

Et elle ajoute :

« Moi, j'ai sans arrêt envie de dire non ! »

Nous méditons sur cette déclaration inattendue quand elle reprend :

« Et puis, ils étaient vraiment trop laids avec leurs cheveux plaqués, leurs bottes de cirque et leurs airs de caïds. Je ne peux pas supporter ce genre de types ! »

Ce n'est pas tout !

« Quand j'étais petite, les palmiers à la confiture, c'était mon gâteau préféré. »

Elle a l'air si sérieux qu'on ne peut même pas être sûr que c'était dit avec humour. Cécile s'en étrangle de rire : Claire s'est battue pour des palmiers !

On en est là, lorsque papa fait son apparition.

Il s'arrête sur le seuil de la cuisine, et regarde, étonné, ce joyeux thé tardif, avant de venir poser sur la table un journal ouvert. On remarque tout de suite l'article encadré de rouge.

« *Cela se passait hier, dimanche après-midi, dans le métro. Une jeune fille...* »

Il y en a deux colonnes. Deux colonnes de louanges. Un hymne au courage et à la beauté de la jeune fille. Les airs modestes de Claire montrent qu'elle n'y est pas insensible. L'article est signé L.B. Laurent Boyer, le fils de la vieille dame.

« Il a pensé que tu préférerais que ton nom ne soit pas cité, dit papa.

— Dommage », dit Claire.

Il se passe quelque chose de très drôle après le dîner.

Comme toujours, Cécile a posé son horrible appareil dentaire : une fausse gencive accrochée à un fil d'acier, bien en vue sur la table. Comme toujours, papa l'a suppliée de cacher ça et elle a posé son pain dessus. Depuis un mois qu'elle porte cet appareil ragoûtant, on le trouve partout ! Sur les cheminées, dans la bibliothèque et, une fois, au centre du plateau de fruits. Les dents de la Poison sont trop grosses pour sa mâchoire et on essaie d'arranger ça.

Le dentiste se souviendra toujours de sa première visite chez lui. Elle a très volontiers ouvert la bouche, mais quand il a eu le doigt dedans, elle l'a mordu au sang. Heureusement, c'était un ami de la famille. Il a dit que cela faisait partie des risques du métier.

Cécile fait donc disparaître sa fausse gencive sous son pain, à côté de son chewing-gum au citron et voilà que la table desservie, plus rien !

Il ne peut être que dans la poubelle. Manque de chance, Bernadette vient d'aller vider le sac vingt litres dans celui de cent qui attend sur le chemin le passage des éboueurs, demain.

Apparemment, ce petit appareil ne représente pas grand-chose; mais il est le résultat de plusieurs visites chez le docteur Dutil car l'ami de papa a préféré ne pas poursuivre l'expérience. Le docteur Dutil habite loin. Le temps, c'est de l'argent. On traîne donc la poubelle cent litres dans le jardin et on commence les recherches.

J'ai mis ma serviette sur mon nez. Maman a enfilé les gants de caoutchouc et Bernadette fouille avec la pince à sucre en argent. Papa, en costume d'hôpital, reste à l'écart. A la fenêtre, la Princesse déclare en se bouchant le nez qu'elle nous aiderait volontiers mais ses côtes, n'est-ce pas !...

Les arêtes de la dorade d'hier sont très trompeuses sous le doigt et Cécile crie dix fois « ça y est » quand ça n'y est pas. Plus on enfonce, plus les odeurs sont variées et toujours pas de gencive. Papa pousse des cris indignés en voyant revenir au jour dans un reste de spaghetti à l'italienne les babouches marocaines qui ne lui tiennent plus aux pieds et que maman, manque de chance, s'était enfin décidée à jeter hier, en cachette évidemment, malgré les interdictions formelles.

Enfin, au moment où, intrigués, les Tavernier traversent le jardin, l'appareil est retrouvé collé au chewing-gum.

De crainte de le reperdre, Cécile remet illico le tout dans sa bouche tandis que papa se bouche les yeux. On ne s'apercevra de la disparition de la pince à sucre que demain. Mais cette fois, il sera trop tard. Les éboueurs auront fait leur métier.

CHAPITRE XI

LE CHOIX

Je suis montée dans ma chambre. Je me suis arrêtée sur le seuil et j'ai regardé hier.

Hier, j'avais lancé ce pantalon sur le lit à côté de mon livre ouvert. Hier, j'avais préparé sur ma table les leçons à réviser après le dîner. Hier, hier seulement, j'avais pris cette brosse et hésité entre une queue de cheval et un chignon pour aller avec ma sœur voir *King-Kong* au cinéma.

Pas un instant, je n'avais douté de revenir dans cette chambre le soir même. Pas une seconde, je n'avais imaginé que le lit resterait vide, la page non lue, les leçons en rade. C'était un dimanche pareil aux autres. Et pourtant, quelque part dans Paris, trois salauds prenaient le chemin de ma vie : le chemin de Claire et de moi.

Ce qui me révoltait le plus, c'était que les choses vous viennent de cette façon, sans s'annoncer, sans vous laisser le temps de vous arc-bouter. Alors, un jour, mon père ou ma mère prononceraient leur dernier mot et rien ne m'avertirait que ce serait le dernier ? Alors, un autre jour, sûrement, je prendrais pour la dernière fois la poignée de cette porte dans ma main et je ne serais pas, pour autant, foudroyée sur place !

Je suis ressortie dans le couloir. J'ai refermé la porte. Je suis allée jusqu'à l'escalier et revenue. J'ai pris cette poignée dans ma main, je l'ai tournée en y pensant de toutes mes forces et je suis rentrée dans ma chambre.

Au moins, je l'aurais fait une fois de plus. Une fois pour rien. Pour le pied de nez. J'ai souhaité être avertie à l'avance des déchirements, de souffrir davantage peut-être, plus longtemps, mais de ne plus jamais arriver innocente, aux grands coups.

Il était un peu plus de vingt et une heures et la nuit s'approfondissait encore. C'est dès six heures, maintenant, que les oiseaux commencent à s'appeler pour se réunir dans l'arbre près du garage. Depuis qu'on voit le jour à travers les branches, leurs cris résonnent plus nets, comme annonçant les grands champs gelés à venir.

En dessous, dans la chambre de Claire, il m'a semblé entendre la voix de papa. J'ai tendu l'oreille. Mais plus rien ! Maman y était aussi. Facile de deviner le sujet de conversation.

Je me suis étendue sur mon lit. J'ai dit à voix haute : « Claire est enceinte. » J'avais l'impression de prononcer des mots sans sens, des mots impossibles. C'était comme si j'avais dit : « Claire est une autre. »

Elle portait dans son ventre quelque chose comme une menace : pour elle, mais aussi pour nous, pour la Marette. Pour l'harmonie. Mon cœur s'est serré. Je n'avais pas envie qu'elle ait cet enfant. Je sentais bien que tout en serait bouleversé. Mais je ne pouvais imaginer, non plus, qu'on puisse le lui enlever.

Et là, en bas, tout près, son avenir était en train de se décider ! Je n'ai pu supporter cette idée, je suis descendue chez Bernadette.

Elle était en pyjama. Un superbe pyjama de soie beige, col Mao, appartenant à Stéphane : une façon de penser à lui. Sur la poche de la veste, il y avait trois

80

lettres : deux S et un A. Ses vêtements à elle, passablement rapiécés, étaient bien rangés sur le dossier d'une chaise, bottes à l'alignement. Assise sur son lit, elle se coupait les ongles. Se couper les ongles de pieds fait partie, pour elle, des choses agréables de la vie. Admettons !

Elle m'a regardée d'un air étonné. J'ai refermé la porte et j'ai foncé.

« Claire est enceinte ! »

Les ciseaux sont restés en suspens.

« Qu'est-ce qui te prend ? Tu es dingue ?

— Jérémy. L'Amérique ! »

Les ciseaux sont tombés. Elle a allongé les jambes. Elle me regardait avec des yeux immenses.

« Merde ! C'est sûr, ça ?

— Sûr et certain. »

Elle s'est laissée tomber en arrière.

« Et il a fallu qu'elle choisisse un Américain ! »

Je me suis assise au bout du lit.

« Les parents savent ?

— Elle leur a annoncé hier, à l'hôpital. Ils sont en train de discuter.

— Les pauvres vieux ! Il leur manquait plus que ça ! »

Elle a fait un rapide calcul et s'est redressée.

« Heureusement il n'est pas trop tard !

— Pas trop tard pour quoi ? »

Je le savais mais je voulais l'entendre le dire.

« Le faire passer. »

Quelque chose s'est soulevé en moi. Je ne pouvais pas supporter cette façon qu'avait Bernadette de tout décider, pour tout le monde.

« Je ne suis pas sûre qu'elle en ait l'intention. »

Bernadette m'a regardée d'un air incrédule.

« Mais qu'est-ce qu'elle va en faire ?

— De toute façon, c'est à elle de choisir, pas à toi. »

Elle a sauté sur ses pieds.

« Peut-être ! Mais avant, moi j'ai quelque chose à lui dire. »

Elle a foncé dans l'escalier, marchant sur les jambes trop longues de son pyjama. J'ai couru derrière elle. Nous étions toutes deux nu-pieds et ils ne nous ont pas entendues arriver. Elle n'a même pas frappé.

Les rideaux étaient tirés. Il y avait sur la coiffeuse un bouquet de pissenlits absolument lamentable. Un cadeau de Cécile pour le retour de la blessée. Cécile dit que l'on est injuste avec les fleurs, qu'il faut toutes les aimer, que les plus laides sont belles.

La Princesse était dans son lit, le drap jusqu'au nez, les parents de chaque côté, l'air sinistre. Personne ne parlait.

Papa s'est levé en nous voyant. Il a crié.

« N'est-il donc pas possible dans cette baraque d'avoir une conversation sans que tout le monde s'en mêle ? »

Ces mots n'ont pas du tout impressionné Bernadette. Elle est allée droit à Claire qu'elle a regardée sous le nez comme si elle cherchait la preuve de ce que je venais de lui annoncer.

Claire était surtout la preuve vivante qu'elle avait vécu une sale aventure. Elle a soutenu le regard de Bernadette. Elle avait l'air fatiguée mais plutôt contente de nous voir.

Maintenant, c'était moi que papa regardait avec colère. Je n'ai jamais su garder un secret.

« Alors c'est vrai ! » a dit Bernadette.

Claire a incliné la tête.

« Et tu ne nous disais rien ?

— J'aurais bien été obligée, a dit Claire.

— Et qu'est-ce que tu as décidé ?

— De toute façon, a coupé papa d'une voix pleine d'orage, ce n'est pas ton affaire mais celle de ta sœur et c'est un choix qui ne se fait pas comme ça. »

Bernadette s'est tournée vers lui.

« Un choix que tu respecteras, je suppose. Quel qu'il soit ? »

Sa voix était pleine de défi.

« C'est ce que nous étions en train de lui dire.

— Toi aussi ? » a demandé Bernadette à maman.

J'ai regardé maman et j'ai vu comme c'était difficile pour elle.

« Mon opinion, Claire la connaît, a-t-elle dit d'une voix nette. Mais je ne veux pas que ce soit pour moi qu'elle garde cet enfant. C'est trop grave. Je ne lui donnerai pas de conseil. Ce que je voulais lui dire, ce soir, c'est que, quelle que soit cette décision, je serai à côté d'elle.

— Elle ne doit agir ni pour toi, ni pour elle, a dit Bernadette sèchement. Elle doit agir pour le gosse, un point c'est tout. »

Claire a sorti le nez du drap.

« Je sais, a-t-elle murmuré. Mais quand tu l'appelles « le gosse », est-ce que tu ne crois pas que c'est déjà terrible ? »

Il y a eu un silence. C'était terrible. Elle l'appelait « le gosse » et il devenait vivant. Il avait beau n'être encore en elle qu'une masse informe et sans regard, à partir de l'instant où on l'appelait ainsi, il lui poussait bras et jambes, il lui venait rires et gestes. « Ame », aurait dit maman. « Ame », pensait sûrement maman. Il faudrait nommer autrement ce dont on a le droit de se débarrasser jusqu'à trois mois. Il faudrait ne dire que plus tard : « elle attend un enfant ».

« Jusqu'à hier, a dit Claire, je n'étais sûre de rien. Et puis, dans le métro, il m'est arrivé quelque chose... »

Elle s'est interrompue. Ça avait l'air dur à sortir. Pas seulement à cause de sa lèvre. Papa s'était arrêté au bout du lit et la regardait très intensément mais c'était à Bernadette qu'elle s'adressait.

« Quand les types sont tombés sur la vieille, c'est à cause de lui que j'ai bougé. C'est pour lui que je l'ai fait. Je me suis dit : « On ne peut pas laisser faire des choses « comme ça et mettre des enfants au monde. »

Il est passé dans la chambre comme un souffle. Elle a prononcé ces mots et nous avons su que c'était réglé.

Maman s'est tournée vers la fenêtre. On peut retenir son sourire pour ne pas influencer, mais il éclate quand même : une sorte de lumière qui vient de profond, qui sourd de partout. Un instant, maman a été lumineuse de soulagement.

Claire allait garder son enfant. Nous l'avons vu ici. Nous avons entendu son rire. Il a été là, en train de courir dans nos jambes et de nous poser un tas de problèmes. Elle lui devait déjà son œil au beurre noir, sa lèvre fendue, sa joue bleu-jaune, sans compter le trou dans sa mâchoire.

« En voilà un qui s'annonce sous le signe de la paix, a dit Bernadette d'une grosse voix.

— Exactement », a dit papa.

Et lui aussi essayait de ne pas trop sourire.

Il a sorti sa pipe de sa poche. Il l'a allumée et a commencé à marcher dans la chambre en tirant de grosses bouffées pour amorcer. Moi, je regardais cette fumée qui dessinait hier dans la chambre, et Bernadette dans le pyjama de Stéphane, et le lamentable bouquet de pissenlits que la nuit avait refermés, et, je me disais que voilà, en ce moment, nous vivions un tournant de vie. J'essayais d'en prendre bien conscience, de l'accueillir le mieux possible et j'ai eu une brève sensation d'exaltation.

Papa est revenu au bout du lit.

« Et Jérémy ? Il est au courant ?

— Non, et je ne compte pas l'y mettre. »

Nous sommes tous restés K.O. A la façon dont Claire

avait dit ça, la décision, pour Jérémy, était prise. Elle est retombée sur l'oreiller.

« Il n'a rien à voir là-dedans!

— L'Immaculée Conception, quoi! a persiflé Berna-dette.

— Tu déciderais donc, a dit papa lentement, d'avoir cet enfant sans le lui dire.

— C'est ça!

— Penses-tu que ce soit honnête vis-à-vis de lui? a interrogé maman.

— Il est contre le mariage. Nous ne nous aimons pas et il pense que c'est stupide d'avoir des enfants à cause de la menace atomique.

— On ne peut pas dire que ses pensées soient en accord avec ses actes », ai-je fait remarquer.

Je ne sais pas ce qui m'arrivait mais je sentais monter un fou rire. Depuis que Claire avait dit qu'elle n'épouserait pas Jérémy avec cet air têtu, aussi têtu que Bernadette qui, c'était nouveau, la regardait presque avec respect, j'avais été comme libérée. De quoi avais-je eu peur?

Papa est revenu s'asseoir près du lit. Il a pris machinalement un flacon sur la table de nuit : le liquide à bronzer de Claire. Prenez l'huile d'olive de votre mère, l'eau de Cologne de votre père, mélangez, secouez, utilisez, c'est gratuit!

Je savais ce qu'il allait dire. Je souhaitais qu'il attende un peu. Demain, au moins. C'est venu encore plus vite que je ne le craignais.

« Tu comptes donc élever cet enfant toute seule?

— Oui, a dit l'intéressée, les yeux sur son flacon que papa tenait à l'envers et dans lequel il se passait de jolies choses vertes et dorées.

— Et comment envisages-tu de le faire?

— Je me débrouillerai, a dit Claire. Si nous vous gênons, je louerai une chambre dans les environs.

— Parfait, a dit Bernadette. J'appelle tout de suite le *Ritz* pour savoir s'ils ont une suite avec salle de bain. »

Les parents se sont regardés, l'air vraiment dépassés.

Claire s'est enfoncée un peu plus sous le drap. Elle a murmuré :

« Je vous demande pardon !

— Non ! » a dit maman.

Elle s'est penchée sur la Princesse.

« Tu n'as à demander pardon à personne. Tu n'as aucun compte à rendre, sinon à toi-même. Mets cet enfant au monde. Aime-le.

— Je l'aime déjà », a soupiré Claire.

Papa a entouré de sa main le poignet fin de notre sœur. Cela a été tout. Avec, dans les yeux de Claire, ces larmes qui disaient que, contrairement aux apparences, cela n'avait pas été si facile de décider; avec aussi quelque chose d'autre. Quelqu'un.

« Pas un mot à personne pour l'instant ! » a-t-elle soufflé.

Et Antoine a été là ! Elle avait tourné son visage vers moi : ce « personne » c'était lui. Elle ne voulait pas qu'il sache. Elle me demandait de ne rien lui dire.

J'ai détourné les yeux.

« Ce sera toi qui décideras du moment où tu voudras l'annoncer », a dit maman.

Papa s'est levé.

« Si nous allions dormir ? Nous aurons... sept mois pour parler de tout ça. Si je comprends bien.

— Cent quatre-vingt-treize jours » a dit Claire.

C'est dans le couloir que papa a seulement semblé découvrir la splendide tenue de Bernadette.

« Qu'est-ce que c'est que ce pyjama ?

— Tu voudrais bien me le piquer ! a blagué Bernadette. Mais n'y compte pas. Il est à Stéphane, pure soie sauvage !

— Je ne vois pas pourquoi la soie sauvage serait

interdite à ton père », a répliqué Charles en souriant.

Il a ajouté : « Tout compte fait, tu as eu raison de monter; mais tu comprends que, quelquefois, on en ait par-dessus la tête!

— Et le pouce! a reconnu Bernadette. Tu vas peut-être commencer à comprendre pourquoi un cheval, c'est rafraîchissant.

— Ce qui m'étonne, a dit maman en riant, c'est qu'on n'ait pas retrouvé la Poison derrière le rideau ou sous le lit.

— La Poison est au salon, a dit Bernadette; vous n'entendez pas? »

Et on a seulement remarqué qu'il y avait de la musique en bas.

La fenêtre était ouverte et la température plutôt fraîche. Cécile était étendue sur le canapé, dans le noir complet, son magnétophone en action sur le ventre.

Elle l'a arrêté quand nous sommes entrés.

« Inutile de me faire un dessin, a-t-elle dit d'une voix sourde. Il y a d'abord eu les maux de cœur, mais ça pouvait être quelque chose qui n'avait pas passé! Bien que, tous les matins, à la même heure, ça semait le doute, forcément! Vous pouviez pas tellement l'entendre vu qu'elle toussait dans la serviette de bain d'Houlgate, la tienne, papa, c'est la plus grande! Après, il y a eu le test qu'on se fait tout seul et qui a viré à la couleur indésirable puisque c'est ensuite qu'elle a commencé à pleurer et m'a emprunté les cent francs pour aller se le faire confirmer chez le docteur. Moi je pense que c'est plutôt chouette puisque Bernadette se barre et qu'on aura de la place. Tout ce que je demande, c'est que ce soit un garçon pour changer!

CHAPITRE XII

BONJOUR PHILIPPINE!

J'ai pris le grand cahier vert en principe réservé aux Sciences-nat et mon stylo favori. J'ai dégagé ma table. Je l'ai poussée devant la fenêtre ouverte. J'ai respiré comme le conseille Antoine : avec une longue expiration, cadeau de mon énergie à l'énergie universelle; et fermé les yeux pour n'être plus, au cœur de cette grande énergie, qu'une étoile y participant.

Le vent écrivait sur mon visage. Il écrivait tout ce que nous avions vécu ici. C'était à la fois douloureux et bon : un appel auquel je craignais de ne pas savoir répondre.

Quand j'ai rouvert les yeux, il m'a semblé que les choses avaient changé. Jamais le silence n'avait été si net. C'était pour m'écouter. Au milieu de la page, j'ai inscrit d'une main ferme : « CHAPITRE I. »

Ma main est retombée. Par où allais-je commencer? Par quand? Je ne savais qu'une chose : je voulais remonter au moment où la famille était encore intacte. Avant que Bernadette ait rencontré Stéphane. Avant le voyage en Californie où un certain Jérémy attendait que notre Princesse vienne se donner à lui. Et pour moi, avant Pierre.

Beaucoup de romans débutent ainsi : « Je suis née le 10 avril, à telle heure, dans tel endroit. » Ça, non! C'était trop loin, totalement inintéressant. Il devait y avoir eu, dans ma vie, un moment où les choses s'étaient imprimées suffisamment fortement en moi pour que je puisse les répéter avec leurs couleurs.

Presque machinalement, j'ai écrit : « Je n'ai jamais aimé mon nom. » Cela m'a coûté. C'était un peu comme dire : « Je ne me suis jamais aimée. » Et c'est plutôt saumâtre à avouer en première ligne lorsqu'on rêve, comme par hasard, d'être aimée du monde entier. Mais cette phrase a ouvert la porte aux autres, à ceux qui aimaient leur nom et s'aimaient, à mes parents et à mes sœurs. Et ils ont été là. Et je les ai emprisonnés dans mes phrases, ligotés aux mots, eux et leurs manies, leurs bons et leurs mauvais côtés, leurs rides, leur langage, la couleur de leurs yeux et de leurs sentiments; et à certains moments j'appuyais si fort avec ma plume qu'elle a traversé le papier.

Je n'ai arrêté d'écrire que lorsque ma main a été glacée. Le premier chapitre était terminé. J'ai laissé ma main sur le cahier, un moment, puis au fond du tiroir, un tour de clef, il était temps.

C'est jeudi qu'il y a eu cette drôle de visite pour Antoine.

Il est dix-huit heures. Claire va mieux mais ses côtes la font encore souffrir. Elle ne peut toujours ni tousser ni rire. Elle met un quart d'heure pour monter dans sa chambre et profite de la situation pour annexer la salle de bain des heures. On lui pardonne tout. Pour l'instant!

Nous sommes dans le salon où nous avons allumé l'un des premiers feux de la saison. Un grand garçon aussi blond que la Princesse, l'air doux, est en train de lui apprendre la belote. Il a fallu qu'elle soit clouée ici pour qu'on s'aperçoive qu'elle avait des amis. Celui-là lui ressemble : calme, silencieux, le regard un peu ailleurs. Il n'a pas eu l'air surpris qu'elle ait agi comme elle l'a fait et n'aurait pas porté plainte lui non plus.

Elle vient, paraît-il, de réussir un coup exceptionnel pour une débutante lorsqu'on entend sonner à la grille.

Les habitués montent directement frapper à la porte de la maison. C'est donc quelqu'un qui vient ici pour la première fois. Cécile y va.

Maman nous recommande toujours de ne pas laisser à la porte ceux qui se présentent. C'est comme ça que l'hiver dernier j'ai introduit dans le salon un type complètement fou qui ne voulait plus s'en aller qu'en emportant la plaque de la cheminée, jurant qu'elle lui appartenait.

Nous voyons donc pénétrer, à la suite de la Poison qui nous adresse mille roulements d'yeux incompréhensibles, une femme époustouflante qui demande le docteur Delaunay.

Epoustouflante avec ses vêtements à la Star, ses enchevêtrements de colliers, son maquillage, ses cheveux teints, sa démarche, son parfum qui se répand dans le salon comme elle vient vers maman. Epoustouflante et belle. Très belle. Plus que nous quatre réunies, c'est certain. Son âge ? Impossible à deviner. Moins de trente.

Je l'ai vue quelque part. Où ? En tout cas, ce visage me parle. Et il semble aussi parler à Cécile qui le dévore des yeux.

« Le docteur Delaunay n'habite plus ici depuis septembre », dit maman d'un ton de regret.

Le visage de la femme s'assombrit et elle nous regarde l'une après l'autre avec méfiance; on dirait qu'elle nous soupçonne de mentir. Côté canapé, la belote est en suspens. L'ami de Claire semble, lui aussi, impressionné par la belle inconnue. C'est un autre monde qui vient d'entrer dans le salon.

« Mais alors, dit la femme en se parlant à elle-même.
Où peut-il être? »

Elle se tourne à nouveau vers maman.

« J'étais aux Etats-Unis depuis juillet. Quand je suis
rentrée, on m'a dit qu'il avait déménagé.

— Nous aussi, on était aux Etats-Unis, annonce fièrement Cécile. Même en Californie avec piscine
chauffée. »

Cela n'a pas l'air d'impressionner du tout la nouvelle
venue.

« Vous ne connaissez pas sa nouvelle adresse?
demande-t-elle.

— Je crois que le docteur Delaunay a décidé de s'installer dans la région », répond maman d'une voix qui
pourrait laisser supposer qu'Antoine n'est pour nous
qu'une vague connaissance.

Cécile regarde maman, étonnée : elle s'apprête à ajouter quelque chose; maman prend les devants, ferme-
ment.

« Il passe nous voir de temps en temps. Voulez-vous
lui laisser un mot? »

La femme hésite. Elle semble tout à fait désemparée.
Pourquoi maman n'a-t-elle pas donné l'adresse d'Antoine? Très posément, elle apporte à l'inconnue un bloc
et un crayon, la prie de s'asseoir, de prendre son temps.

Tandis qu'elle écrit, on peut admirer ses mains blanches aux ongles bleu nuit. Elle a des bagues à tous les
doigts. Ça me gênerait. Nous devons avoir l'air complètement cruches, Cécile et moi, à la regarder comme ça.
D'ailleurs, du canapé, sourcils froncés, Claire nous fait
signe de nous écarter.

L'inconnue plie le papier et le tend à maman.

« C'est de la part de qui? demande Cécile.

— Philippine Legrand. »

Philippine? Nous restons tous saisis. Mais bien sûr,
nous la connaissons. Animatrice de l'émission : « Bon-

jour Philippine » qui passe de six à sept tous les mercredis. Elle reçoit chanteurs et danseurs. Beaucoup de succès. Qu'a-t-elle à voir avec Antoine ?

En un clin d'œil, la Poison a rentré précipitamment son corsage dans son pantalon; elle fait bouffer ses cheveux, prend des poses, espérant, je suppose, être engagée dans l'émission. Claire ne manifeste rien. Je ne peux m'empêcher d'être impressionnée. C'est la première fois qu'une vedette du petit écran débarque dans notre salon et, du coup, c'est stupide, il me paraît minable, ce salon, gris, poussiéreux, petit, râpé avec ses meubles qui sont tous comme de vieux amis fatigués.

« Nous regardons votre émission avec beaucoup de plaisir », dit maman.

Philippine murmure un vague : « Merci. » Elle se lève, montre la lettre.

« Pouvez-vous la donner à Antoine dès que vous le verrez ? »

Antoine ! C'est donc personnel. Et elle a l'air si triste soudain que son nom ne lui va plus du tout. Elle ne cesse pas d'être belle pour autant. Même davantage. Le fard craque et l'âme apparaît.

« Comptez sur moi, dit maman. Il l'aura très vite. Voulez-vous boire quelque chose ? »

Les yeux de Cécile brillent.

« Il y a du whisky, dit-elle, du bon, du cent ans. »

Mais c'est non. Non merci ! Et il ne reste plus dans le salon qu'une ou deux bouffées de parfum dont se gorge la Poison avec autant de délices que de bouffées d'encens, à l'église.

On entend, sur le chemin, démarrer une voiture. Côté belote, ça a l'air enterré. L'ami blond aussi, qui se voit remercié sous prétexte de migraine. S'il n'y avait ce mot sur la table, on croirait avoir rêvé.

Qui est Philippine Legrand pour Antoine ? Il me semble qu'ils ne vont pas ensemble; ils sont même le

contraire l'un de l'autre. Mais comme elle était belle!
Parfaite.

Maman glisse le papier dans une enveloppe, la cachette, marque le nom d'Antoine et la met près du téléphone.

« S'il ne vient pas demain, on la lui enverra.

— Moi, je crois bien que j'aurais lu », dit Cécile.

Mais il faudra attendre l'heure de l'apéritif pour qu'elle nous livre le fruit de ses réflexions.

L'apéritif du soir est une institution sacrée à la maison. Papa ne supporte pas, sitôt rentré, d'être précipité à table. Il commence par se changer puis, un tour au jardin pour oublier toutes les misères vues au cours de sa journée. Il a beau aimer son métier et dire que pour rien au monde il n'en aurait choisi un autre, le soir, cela déborde.

L'apéritif, c'est aussi l'heure de la conversation. Après le dîner, il y a la télévision, le travail et tout le monde a sommeil. Inutile de dire que les boissons ne sont alcoolisées qu'exceptionnellement au grand regret de Claire et de Cécile; mais il y a profusion de gâteaux salés que maman achète par grandes boîtes au supermarché.

Papa tombe sur l'enveloppe. Maman raconte brièvement la visite. Cécile conclut gravement : « C'était ça, le secret d'Antoine! »

Charles ne réagit pas. Il semble un peu gêné, comme s'il savait quelque chose et ne pouvait le dire.

« Qui t'a parlé de secret? interroge Claire, agressive.

— On voyait bien qu'Antoine n'aimait pas parler de lui, dit la Poison. On peut même dire qu'il évitait le sujet.

— Certains ont la pudeur de ne pas raconter leur vie personnelle à tout le monde, s'insurge la Princesse.

— En tout cas, dit la Poison, il l'a bien choisie, sa vie personnelle! Ça me faisait d'ailleurs drôle qu'il soit seul. A son âge, c'est pas normal. On ne pense pas assez à ce problème. »

Bernadette ricane.

« A présent que te voilà une femme, tu pourrais aider ces pauvres hommes à le résoudre. »

Cécile a un soupir des plus sérieux.

« Très peu pour moi. J'en ai trop vu avec les exhibitionnistes ! »

Cette révélation inattendue plonge la famille dans un étonnement compréhensible.

« Ah ? ah ? encourage papa.

— La dernière fois, c'était au cimetière, explique la Poison. On n'imagine pas ce qu'ils vont chercher comme endroits.

— Mais qu'est-ce que tu faisais au cimetière ? » s'exclame maman.

Notre cimetière est en pleins champs, bien gardé par ses murs. Il y a beaucoup de places disponibles. Moi j'aime les cimetières du midi qui, de loin, sont comme des bouquets de cyprès.

Cécile croque quelques amandes.

« On est tranquille, dans les cimetières. Pas de voiture, pas de motos, des fleurs partout, de la lecture et des photos. J'aime bien.

— Et ce qu'il y a sous tes pieds, ça te gêne pas ? interroge Bernadette.

— Ce qu'il y a sous mes pieds est rudement content qu'on vienne lui rendre visite en dehors des jours obligatoires », dit Cécile.

Et l'autre jour, elle s'était assise sur la tombe de Jean-Marc[1] pour bavarder un peu quand elle voit un mec en imperméable qui se pointe, l'air religieux.

« Je pensais que c'était pour son mort. C'était pour moi !

1. Voir *L'Esprit de Famille*.

— Et alors? demande Claire de la voix qu'elle prend quand Cécile, pour lui faire plaisir, rapporte du jardin à son intention une limace, un lombric ou un escargot baveur.

— Alors il a ouvert son imperméable et ce qu'il y avait dessous valait pas le déplacement, soupire Cécile. Après ça, une femme risque d'être vaccinée pour un moment. »

Elle jette un regard entendu vers le seul représentant du sexe en question qui a l'air dans ses petits souliers.

« Et vous étiez tout seuls dans ce cimetière? interroge maman avec anxiété.

— Avec les autres, dit Cécile, mais eux, ils pouvaient pas manifester. Alors j'ai essayé de discuter un peu, mais on peut dire que son idée était fixe et il a fallu que la mère Lépine arrive avec son pot de chrysanthème pour qu'il referme son imperméable. »

Papa vient s'asseoir sur le bras du fauteuil où trône la Poison. Il pose la main sur son épaule.

« Ecoute-moi bien... »

On a tous écouté ça à notre heure. Surtout quand on habitait encore Paris. Les exhibitionnistes, ce sont de pauvres types, d'accord, mais il arrive qu'ils soient dangereux. Seule solution : se sauver. S'il y a quelqu'un : crier.

Moi, je n'osais ni l'un ni l'autre. Dans le métro, où ça se passait le plus souvent, je restais pétrifiée. Claire, je ne sais pas. Elle ne parle pas de ces sujets-là.

Et tout le monde ne peut pas faire comme Bernadette qui, alors qu'un type, dans un endroit public, lui montrait tout son appareil, a regardé attentivement et dit très haut pour que tout le monde entende ; « Chez mon papa, c'est bien plus beau. »

CHAPITRE XIII

UN PLEIN PANIER DE NOIX

Et le lendemain soir, la lettre n'est plus près du téléphone. Il paraît que Claire l'a envoyée à Antoine. A
midi, en mangeant un sandwich au Luxembourg, je
parle de la Princesse avec Béa. Je m'étais juré de ne
rien dire pour l'enfant et voilà. Il suffit qu'elle me
demande : « Comment elle va, son œil et tout » et ce
que j'avais réussi à garder pour moi l'autre jour déferle.

Béa que rien n'épate est épatée. C'est déjà ça ! Mais
pessimiste ! C'est touchant de vouloir garder cet enfant.
C'est ravissant de l'aimer déjà ! Aucune importance qu'il
n'ait pas de père puisqu'un père et une mère c'est fait
pour se déchirer ! Mais comment va-t-elle gagner la
croûte du lardon ? Je ne trouve rien à lui répondre.

Il y a un couple étendu sur une pelouse, devant nous.
Il y a cette sensation de chaleur, encore un peu ; le bruit
de la fontaine ; une odeur de soleil. Le soleil sent. Le
doré, l'intérieur d'un chapeau de paille, les vacances,
tant de choses loin derrière soi, déjà.

Et soudain la Californie est là, cette Université que
j'avais visitée avec Claire et Jérémy[1]. Nous nous étions

1. Voir *L'Avenir de Bernadette*.

étendus sur l'herbe, tous les trois. Claire regardait le ciel. Il y avait une grande sérénité sur son visage. Je m'étais dit : « Elle est chez elle »! Dans la beauté, l'abondance, la liberté. L'insouciance aussi.

Eh bien c'est fini. « Gagner la croûte du lardon! » Plus de choix. Elle s'est claqué au nez la porte de la liberté.

« Qu'est-ce qui t'arrive? demande Bea. Tu en fais une tête! Ce môme, quand même, personne ne l'oblige à le garder? Si elle le fait, c'est que ça lui plaît! »

Je change de conversation.

En octobre, la grande distraction en rentrant de classe, c'est d'aller au fond du jardin faire un tour sous les noyers que le vent a tellement bousculés qu'un de ces jours, plus besoin de se baisser pour ramasser les noix; on les aura aux branches.

Cette année, la récolte est formidable. Des paniers et des paniers. Vous marchez à petits pas dans l'herbe et les feuilles mortes, vous sentez une résistance ronde sous le pied, l'eau vous vient au palais et ça y est! Personnellement, mon travail est désintéressé car je suis, hélas! sujette aux aphtes.

Ce soir-là, j'y retrouve maman, en plein ouvrage. Elle a déjà rempli les trois quarts du panier. Elle porte des gants à cause du brou qui vous fait des mains de charbonnier. Elle a emprunté ses sabots à Bernadette.

« Enfin, une aide! » s'exclame-t-elle en me voyant arriver et je me demande si elle a choisi cette heure sachant que je la rejoindrai.

J'ai déjà les mains pleines. Quand vous ramassez une noix, vous savez tout de suite, au poids, si elle sera bonne où si vous y découvrirez une chose avortée, tourmentée, noirâtre. On peut aussi n'y trouver que la poudre claire qu'a laissée le vers.

« Ne ramasse pas les trop petites, elles sont vides! »

On voit maintenant tout à fait l'Oise et le bruit des

péniches résonne comme dans une église vide. J'ai parfois l'impression que tout est « église », c'est-à-dire appel, prière ou plainte vers Dieu ou autre chose plus haut que nous. J'ai du mal à croire en Dieu mais je n'arrive pas à penser qu'il n'y a rien là-haut. Tout monte. Il faut bien que ce soit vers quelque chose.

C'est sous les noyers que maman m'apprend que Claire a trouvé un travail. Elle le lui a annoncé tout à l'heure, en rentrant de chez le dentiste. Un ami l'a recommandée auprès d'une fleuriste, à Pontoise. Elle commence la semaine prochaine.

« Elle va vendre des fleurs ?

— Pourquoi pas ? Elle a l'air très contente. L'essentiel est qu'elle reprenne l'habitude du travail. Tu sais, quand on a arrêté longtemps, c'est difficile de s'y remettre.

— Et papa ? Qu'est-ce qu'il en pense ?

— Nous saurons ça ce soir », dit maman.

Elle se redresse et regarde la maison, là-bas, sous sa vigne vierge qui commence à se faner. Sans compter qu'une espèce de tôle est tombée du toit, il y a deux nuits. Le couvreur a été convoqué. Tremblements du côté du porte-monnaie.

Sur le visage de maman passe une douceur.

« L'autre jour, ton père a proposé à Claire de faire un peu de secrétariat à son cabinet. Tu sais ce qu'elle a répondu ?

— Non merci ! »

— Non ! elle a répondu : « Si vous me mâchez tout, « comment voulez-vous que je m'en sorte ? »

Trois noix dans une même cache de feuilles. Béa avait tort d'être pessimiste. Ses responsabilités, elle va les prendre, la Princesse. Sans se trahir. C'est bien, les fleurs. Ça lui convient. Elle vendra de la beauté, de la vie, du parfum !

Le panier se remplit. Dimanche dernier, Bernadette a

fauché à tour de rôle avec papa et ça pique les chevilles. Sans compter les aoûtats !

« Si vous me mâchez tout, comment voulez-vous que je m'en sorte ?... » Tout a été dit par Claire. Je n'ai plus envie de parler. Tout ce que je vois autour de moi, tout ce que je vis m'a été donné. « Comment voulez-vous que je m'en sorte ? »

Je croque dans une noix. Pauvre petit geste de liberté ! Etonnant que maman ne crie pas que c'est la mort des dents. Pour les aphtes, tant pis !

Nous revenons vers la maison.

« Et Jérémy ? »

Il me semble qu'on l'a effacé un peu vite, celui-là ! Je le revois avec sa barbe, ses silences, sa façon de prendre la vie calmement, rondement. Je le vois en train d'étudier son droit sans se douter qu'ici, un enfant de lui... et en un sens, j'ai mal pour lui.

« Là aussi, c'est à Claire seule de décider ! Et puis qu'elle ne veut pas l'épouser ? »

Mais lui ? Lui ? Cet homme qui ne saura peut-être jamais qu'un être, quelque part, respire un peu comme il respire, a pris quelque chose de sa démarche, ou de son regard. Est-ce possible de n'en rien sentir ? De n'entendre aucun appel ? Sommes-nous à ce point des êtres de surface ?

« Et au gosse, qu'est-ce qu'elle dira ? »

— On a le temps de réfléchir à tout ça », dit maman.

Je revois, aujourd'hui, ces étudiants au Luxembourg : le couple dans l'herbe surtout.

« Moi je trouve que c'est trop de problèmes justement. Finalement, elle n'aurait pas dû le garder. »

Le regard de maman est sévère :

« Tu ne penses pas ce que tu dis. »

Possible ! Ou plutôt, je ne sais pas ce que je pense. Je croque dans une autre noix.

« Et tu vas t'esquinter définitivement les dents ! Tant pis pour toi. »

Papa prend bien la nouvelle. La seule chose qui l'ennuie c'est la fatigue. Claire sera debout toute la journée. Ce n'est peut-être pas très malin de passer d'un extrême à l'autre. Puisqu'elle a choisi de garder cet enfant autant le mener à bon terme.

Claire fait de l'humour noir : « Alors, maintenant que je veux travailler, on dresse des obstacles ? »

Charles n'insiste pas. Sauf pour la Mobylette. Sa Mobylette, elle peut l'oublier. Il la conduira chez sa fleuriste en voiture.

On met un moment à comprendre pourquoi Bernadette se tord de rire. Elle mime une scène chez les Saint-Aimond.

Thé à Neuilly. Belles dames et petits fours sur plateaux d'argent, gouvernante, maître d'hôtel, gants blancs. Question de Madame de je ne sais pas quoi : « Et votre future belle-fille ? A quoi se destine-t-elle ? »

Mme de Saint-Aimond : « Elle travaille dans un manège : palefrenier en chef. »

Silence. Gêne. Gorgées de thé, raclements discrets de gorge. Bernadette imite très bien.

Autre dame de je ne sais pas quoi : « Elle a des sœurs, je crois ? »

Mme de Saint-Aimond : « Oui ! L'aînée vend des fleurs. Elle attend un enfant pour bientôt. La plus petite collectionne les serpents. L'autre... »

Bernadette se tourne vers moi : elle en a les larmes aux yeux.

« Toi, je ne sais pas ce que tu nous réserves mais t'as intérêt à être à la hauteur. »

Même les parents sont emportés par le rire. Mais c'est un rire différent, qui fait un peu mal, un rire qui se souvient de rires d'avant. Un rire « quand même ». Sauf pour Cécile.

100

« Je me disais justement, déclare-t-elle, les yeux brillants, que pour le bébé, on pourrait peut-être commencer à l'annoncer. Qu'est-ce que vous en pensez?

— Non, non et non, crie Claire. Je t'interdis d'en parler. »

Elle se lève. Elle n'a pas ri, elle, aux bêtises ce Bernadette. Elle nous regarde, les uns après les autres, avec reproche et quitte la pièce.

« Merde, dit Cécile. Moi, je l'aurais dit tout de suite. J'aurais dit : « écoutez la bonne nouvelle... »

C'est à ce moment-là je crois que j'ai remarqué que la lettre n'était plus près du téléphone et que maman m'a dit que Claire l'avait postée ce matin.

On se demande vraiment pourquoi puisqu'il paraît qu'Antoine vient déjeuner demain.

CHAPITRE XIV

TRAVAILLER DANS L'ODEUR DES FLEURS

Il arrive à midi avec une tarte aux mirabelles et un paquet de livres qu'il va directement poser sur les genoux de la Princesse.

« Cela me fera plaisir que vous les lisiez et on pourra en discuter après. »

Voilà toute la différence ! Entre eux, il n'a jamais été question de tutoiement. Avec moi, apparemment, cela allait de soi, avec les jus de pomme et les baisers sur le front.

Claire regarde les livres, en feuillette un, un peu crispée.

« Merci, dit-elle, mais je ne vais plus avoir beaucoup de temps pour lire. J'ai trouvé un travail. »

Il la regarde, étonné.

« Chez un fleuriste, à Pontoise. Je commence lundi. »

Elle a débité ça d'un coup comme pour s'en délivrer. Antoine n'a toujours pas l'air de comprendre.

« Un fleuriste ?

— Puisqu'il faut travailler, paraît-il, répond Claire avec un léger sourire, autant le faire dans l'odeur des fleurs que dans celle de l'encre à machine. »

Antoine n'a pas l'air enthousiaste du tout. Il regarde

les parents, silencieux, puis se tourne à nouveau vers la Princesse.

« Et vous n'auriez pas pu choisir quelque chose de plus constructif ? »

Le « constructif » me plaît. J'aime mieux que « lucratif », en tout cas. D'autres auraient aussi parlé de travail d'avenir. Mais décrivez-nous donc les couleurs de cet avenir !

Papa s'est approché et lit le titre des livres, intéressé. S'il n'a pas ses quatre bouquins en train sur sa table de nuit, il lui manque quelque chose.

Au creux de la jupe de la Princesse, il y a Queneau, Alain-Fournier, Hemingway, Cocteau. Moi, mes écrivains favoris, c'est comme des amis. Parfois, dans la journée, ils me parlent à l'oreille.

« Fallait-il vraiment vous décider si vite ? insiste Antoine.

— Une occasion à saisir, explique Claire. Et mes parents trouvent qu'un an et demi de réflexion, ce n'est pas tellement rapide. »

Elle se lève et, pour indiquer que le sujet est clos, suit maman dans la cuisine sous prétexte de l'aider à mettre la tarte dans un plat. On aura tout entendu !

Antoine la suit des yeux, l'air désemparé. Papa entame un cours magistral à propos de l'influence qu'a eu Alain-Fournier sur son adolescence. Antoine répond machinalement qu'Alain-Fournier l'a beaucoup marqué lui aussi. J'aimerais pouvoir crier la vérité. Claire est enceinte ! Voilà, Monsieur. Il faut qu'elle pense à se nourrir, elle et l'enfant qu'elle porte. C'est comme ça que l'enfance fout le camp d'un coup. On ne tient pas vraiment sa vie ! Ou lorsqu'on est vieux, et que cela n'a plus d'importance, et qu'elle est si lente et si lourde, et qu'on la traîne derrière soi comme un animal aux membres cassés.

Le déjeuner commence dans une drôle d'atmosphère

brouillée, alourdie par l'enfant de Claire et par Philippine. Pour Philippine, maman a interdit à Cécile d'en parler sous peine des pires sanctions. Il est visible que la Poison regarde Antoine d'une autre façon. Il est l'homme qu'est venue relancer ici une Star de la télévision.

Heureusement, il y a en ce moment un sujet brûlant à la maison : l'écologie.

« Quart de bœuf », le prof de géographie de la Poison, lui a confié un exposé sur la question; elle ne pouvait prévoir ce à quoi elle nous exposait, nous : on ne peut plus manger, boire, respirer, sans apprendre qu'on gaspille, assassine ou creuse notre propre tombe.

D'un air soucieux, Cécile contemple l'eau dans son verre.

« Avant, vous savez combien on dépensait de litres par jour et par personne ? Dix ! Et maintenant...

— Dix millions », tranche Bernadette, qui n'a pas l'air de bonne humeur.

Cécile la foudroie.

« Deux cents ! Pour sa minuscule petite personne, deux cents litres d'eau par jour !

— Eh bien, dit Claire...

— Cela t'es peut-être bien égal, reprend la Poison encouragée, mais à chaque fois que tu vas faire pipi par exemple, mettons un quart de litre, en rinçant, tu voles cinq litres d'eau potable au tiers monde ! »

Claire est devenue écarlate.

« Je vole cinq litres d'eau au tiers monde ?

— Enfin, je m'entends, dit Cécile !

— Nous aussi, hélas ! intervient papa pour sauver la Princesse. Et que suggérerais-tu ? Aller dans le jardin ?

— Ça ne lui ferait pas de mal, dit Cécile. On pourrait aussi ne rincer que toutes les deux fois pour commencer. Ça serait toujours ça de gagné.

— Si tu fais ça, menace Bernadette dont les yeux

étincellent, je te préviens que je rince pour rien, toute la journée ! »

Même Antoine rit. Ulcérée par l'incompréhension de sa famille, Cécile se tait quelques secondes et nous parlons de Noël, de Montbard où nous allons tous passer les fêtes de fin d'année, quelle chance !

« C'est bien sûr qu'il y aura un sapin ? réattaque la Poison.

— Ta grand-mère me l'a confirmé dans sa dernière lettre, dit maman, un grand, jusqu'au plafond !

— Un grand sapin fier et heureux d'avoir été déraciné pour porter des guirlandes, des boules de couleur et un joli cadeau pour toi, grince Bernadette.

— Grand-mère les « reracine » toujours, proteste la Poison. Tu le sais très bien. »

Elle se tourne vers Antoine. « Viens avec nous : on fera des balades. »

Il ne répond pas directement à l'invitation.

« A Montbard, est-on autorisé à ne pas aimer les escargots ?

— Bien sûr. Et comme ça je ne serai plus la seule », dit maman.

Elle aimait assez ça, enfant. Et puis un jour, à quinze ans, elle est invitée à en manger chez le père Clairet, ami de grand-mère, des escargots faits maison. Elle s'aperçoit, horreur, qu'on voit encore les cornes. Elle ne peut plus, dirige ce qu'elle peut vers sa poche, pour ne pas vexer et pousse bientôt un grand cri. Ils marchent. Ils descendent le long de sa cuisse. En fait, c'était la sauce.

« Pauline, où es-tu ? » demande papa.

Tout le monde me regarde.

« En vacances, dis-je. Autrefois. »

C'est Antoine qui coupe la tarte aux mirabelles Sous le couteau, les prunes s'évasent, offrent leur ventre jaune doré. J'aime ses gestes précis ! Sa manche un peu relevée laisse apparaître le poignet couvert de poils bruns. Je suis très sensible aux poignets des hommes. Très sensible aux odeurs aussi. Il doit rester de l'animal en moi. Il faut que je flaire tout : choses et gens.

La Poison a préparé une montagne de noix dont elle recouvre sa part de tarte. Quand elle en propose à Antoine, il ne dit pas non.

« Les noix maison, rien de meilleur !

— Si, dit Cécile. Les amandes ! Et dans les amandes, il y a des philippines. »

C'est le silence qui me fait réaliser. Claire s'est figée. Les sourcils de maman sont froncés. La Poison plante ses dents dans sa tarte. On ne saura jamais si elle a fait exprès de prononcer ce nom. Aucun trouble sur le visage d'Antoine.

Après le déjeuner, Bernadette file à son manège. Claire s'éclipse. Comme s'il n'attendait que cela, Antoine remet la conversation sur le travail de la Princesse.

Il s'est assis à côté de maman. Ne pense-t-elle pas que Claire a pris une décision un peu hâtive ? Il voyait autre chose pour elle.

Et c'est reparti pour les louanges. Notre Princesse a un regard, une présence, une lumière. Il ne faut pas considérer son refus de travailler comme de la paresse, plutôt comme le refus de la médiocrité. Et il y a une force très grande en elle : voir l'histoire du métro.

« Ras le bol de l'histoire du métro », murmure Cécile.

Ras le bol ! On dirait qu'Antoine parle de sainte Blandine affrontant les lions dans l'arène, les faisant reculer par la puissance de son regard et la force de sa foi. Il ne faut quand même pas exagérer ! Les fauves, dans le métro, ont poché l'œil de Claire et, sainte ou non, Blandine a fini comme les autres, dans l'estomac des félins.

Quand maman était petite, tous les soirs, grand-mère

lui lisait, ainsi qu'à oncle Adrien, un chapitre d'Histoire sainte. L'image qu'ils préféraient, c'était celle où l'on voyait, dans une grande arène, les chrétiens jetés en pâture aux lions. Soudain, le frère de maman éclate en sanglots. On s'attendrit. « Quel cœur d'or cet enfant ! » Mais il désigne un lion, dans un coin de l'image : « Celui-là, il n'a pas eu de chrétien ! »

Bref ! Antoine confond Claire et sainte Blandine ce qui est crispant pour ses sœurs et demande aux parents s'il est possible de la faire revenir sur sa décision. Il a pensé à quelque chose pour elle et voulait lui en parler. Cela supposerait, s'ils n'y voient pas d'inconvénient, qu'elle reprenne ses études.

Papa a l'air très ennuyé. Il s'éclaircit la voix.

« C'est que Claire s'est engagée, maintenant !

— A cette boutique de fleurs, ils accepteront peut-être qu'elle ait changé d'avis », insiste Antoine.

Charles n'a jamais su mentir. Il commence à bafouiller. Pas si simple que ça... Engagée auprès d'un ami aussi... Quant à reprendre ses études, cela lui paraît difficile actuellement.

Il y a soudain un total changement sur le visage d'Antoine. Nous l'avons vu arriver si heureux tout à l'heure, avec ses livres et sa tarte ! Il se referme sous nos yeux. Il redevient celui qu'il était au début de son séjour ici : lorsqu'on se disait qu'il avait souffert. Cela fait mal.

Cécile le regarde, me regarde... Si elle n'avait pas compris, ça y est ! Les parents aussi, et, voulant rattraper les choses, papa s'enferre un peu plus.

« Les études, c'est encore une façon de rester dépendant, n'est-ce pas ? Il faut que Claire s'assume maintenant. Il est temps. Elle-même a accepté l'idée qu'elle ne pouvait plus continuer comme ça.

— Voulez-vous dire, demande Antoine lentement, douloureusement, que Claire a rencontré quelqu'un ? »

On ne s'attendait pas du tout à cette question et il y a un silence : un silence qui peut dire oui.

« Ce n'est pas exactement ça, intervient maman, l'air terriblement malheureuse.

— Vous savez, dit papa, les filles, c'est horriblement compliqué. »

Antoine s'est détourné. Il sort son paquet de cigarettes de sa poche. Il doit s'y prendre à deux fois pour en allumer une. Sa main tremble. Moi qui le croyais si fort ! Nous regardons tous ailleurs. La vérité me brûle les lèvres. Cette salope de Claire ! Elle n'a pas le droit de la lui cacher. Ni qu'elle a décidé de ne s'attacher à personne, qu'elle cherche l'amitié, la tendresse, mais pas l'amour qui emprisonne. Quand je pense que c'est peut-être à cause d'elle qu'il s'est installé près d'ici, peut-être à cause d'elle que Philippine le cherche partout.

Je n'en peux plus de ce silence. Je sens Cécile trembler près de moi, de colère et du désir de parler, elle aussi. Qu'elle trahisse ! Tant pis !

« Merde, murmure-t-elle, c'est vraiment trop con ! »

Alors Antoine se lève sans rien dire. Sans rien dire, il serre toutes les mains et l'on ne sait quoi mettre dans son regard pour lui faire comprendre que tout n'est pas perdu. Peut-être. Il sort.

Cécile se lève d'un bond, court à la porte.

« Je vais lui dire ? Vous voulez bien ? »

Maman hésite.

« Non ! tranche Charles. On a promis à Claire...

— Claire est une dégueulasse », dis-je.

On s'apercevra plus tard qu'Antoine n'a pas pris sa voiture. Je pense qu'il est parti droit devant lui, dans cette campagne qu'il commençait à aimer tant.

A vingt minutes de marche à peu près, en allant bon pas, vous trouvez de grands champs bruns pleins de pommiers tordus. Si vous les traversez, vous levez des gerbes d'oiseaux.

Après les champs, ce sont les bois aux odeurs si fortes, au sol flammé de fougères.

Lorsqu'on marche longtemps, il vient un moment où le rythme vous saisit et où l'on éprouve comme une délivrance. Le sol danse devant vous, l'horizon. On aimerait continuer, aller loin, toujours plus loin. J'ai souvent souhaité de me perdre. Mais les champs les plus profonds, les forêts les plus vastes, vous ramènent fatalement à des routes, des bornes, des poteaux de signalisation.

A moins que ce ne soit vous qui, d'un seul coup, sans même savoir pourquoi, rebroussiez chemin.

CHAPITRE XV

VITE, MONTBARD !

Je me suis mise à attendre Montbard, la Bourgogne, notre départ, presque désespérément. J'avais une impression de gâchis. Général. Irrémédiable.

Chaque matin, à huit heures trente, Claire partait avec papa. Chaque soir, un ami la raccompagnait, généralement le même : celui à la belote. Elle avait les yeux cernés. Elle montait se coucher tout de suite après le dîner. Tout allait bien, paraît-il, pour le bébé. Mais n'avions-nous pas dit qu'un enfant devait être attendu dans la joie ? À la maison, c'était tout sauf la joie !

Du côté de Bernadette, ce n'était pas brillant non plus. Il avait fallu l'absence de Stéphane pour qu'elle se rende compte à quel point il lui était nécessaire. Classique, paraît-il. Classique aussi de ne pas aimer tous les deux autant à la fois. En attendant, on ne la sentait plus avec nous.

Antoine est revenu deux fois. La première, c'était un dimanche. Presque tout de suite, la Princesse est montée dans sa chambre, indiquant qu'elle ne désirait pas le voir. La seconde, c'était le soir et elle n'était pas encore rentrée quand il est arrivé. Elle a débarqué au salon avec l'ami qui la raccompagnait, le grand blond. Elle l'avait, comme par hasard, invité ce soir-là à prendre l'apéritif. J'ai compris qu'elle l'avait fait exprès en voyant la voiture d'Antoine.

Antoine a regardé ce type beaucoup plus jeune que lui pour qui la Princesse se mettait en frais et cela a été terminé.

Au lycée, cela ne marchait pas mal pour moi. Mais sans passion. Sauf lors des cours de français et de philo, je me demande ce que je fais là.

Pour faire plaisir à maman, j'ai accepté de faire partie d'un rallye. Il a lieu tous les quinze jours. Nous sommes une cinquantaine. Nous dansons. Maman pense que je n'ai pas assez d'amis. Moi aussi. Mais parmi ceux de mon âge, je me sens étrangère, différente. Je ne m'intéresse pas à ce qui les intéresse. J'ai peur de leur déplaire.

Comme il me paraît loin, ce jour de septembre où je suis allée retrouver Antoine chez lui, souhaitant qu'il me prenne dans ses bras. J'ai décidé que je n'avais jamais aimé cet homme. Mon corps a eu besoin du sien, c'est tout! Ce n'est rien. Cela passera.

Parfois, j'ai peur de ne pas rencontrer celui avec qui tout sera bien. Je voudrais qu'il ait un peu souffert pour l'en consoler. Son regard en sera devenu plus profond, son étreinte plus forte. J'aimerais ne rien lui cacher de moi et qu'il m'aime malgré tout. Et qu'il m'aime, pourquoi pas, pour ce qui est difficile à avouer. Qu'il n'attende de la vie que ce qu'elle peut donner et soit optimiste quand même. A cause des jardins mouillés qui semblent, au premier rayon de soleil, chanter par la voix des oiseaux; à cause de l'endroit où la branche du sapin, alourdie de neige, touche le sol comme pour se marier; et de cette chanson que l'on a dans la tête et retrouve un peu plus loin sur les lèvres d'un passant.

Aujourd'hui, 15 décembre, en cherchant les ciseaux à ongles que maman m'avait sommée de retrouver avant le retour de papa, j'ai fait une découverte, en un sens terrible !

Au fond du tiroir de la table de nuit de Claire, ma main a rencontré un papier. Je l'ai ramené.

Il y avait juste deux lignes d'une grande écriture appuyée. Je n'ai pu m'empêcher de les lire : « *Appelle-moi vite ! Très vite ! Pardon ! Je t'aime !* »

C'était signé : *Philippine.*

CHAPITRE XVI

LE CADEAU DU SILENCE

DE sa longue main blanche, un peu maigre, elle choisit six roses thé, les mêle aux tulipes, ajoute de la verdure, entoure d'un papier transparent, lie avec un fil doré, épingle, colle l'étiquette, remet le bouquet au client, vérifie le chèque. Merci, monsieur !

Une brève sonnerie retentit lorsque la porte se referme et on voit le client longer le magasin, son bouquet à la main, l'allure un peu gauche.

« Je préfère servir les hommes, dit-elle. On dirait que les fleurs les intimident. Ils me demandent souvent conseil. Et puis, c'est toujours pour offrir à une femme ! »

Elle passe la brosse dans ses cheveux, enfile sa veste : « Où allons-nous ? »

Je cite un café, dans la vieille ville. J'ai choisi la rue la moins fréquentée et un endroit sans machines à sous ni musique où nous pourrons bavarder tranquillement. Au moment de quitter la boutique, l'œil de Claire fait le tour du propriétaire. Toutes ces fleurs ! On a l'impression de laisser derrière soi une mystérieuse respiration.

Elle ferme la porte à clef. Réouverture : 15 heures.

C'est une boutique modeste que je n'avais jamais remarquée. Avant d'engager Claire, la patronne était seule, paraît-il. Elle vient d'avoir un enfant. Maintenant, elle a du temps pour s'en occuper.

Claire prend une grande bouffée d'air : « Tu ne le croirais jamais mais le parfum des fleurs, ça nourrit. C'est comme le soleil. »

Ce matin, quand je lui ai proposé de déjeuner avec moi, j'étais certaine qu'elle allait refuser et voici que nous marchons côte à côte. Je ne sais plus très bien où j'en suis. J'ai désiré cet instant; à présent, je préférerais être ailleurs. Il y a les moments où on a envie de se donner du mal. Et les autres.

Nous traversons le pont. C'est l'Oise en bas : la nôtre. Elle file vers *La Marette*; vers la liberté aussi puisqu'elle a été arraisonnée, domestiquée. Pontons, maisons, restaurants.

Claire marche lentement, les yeux fixés sur l'eau. Elle dit soudain, sans tourner la tête.

« Il bouge maintenant ! »

Comme un souffle me parcourt, s'arrête à hauteur de cœur. Il bouge ? C'est la première fois que Claire me parle de lui.

Sans la regarder, la voix la plus dégagée possible, j'interroge.

« Ça fait comment ?

— Une grosse bulle d'eau qui se promène. »

Là, j'ai envie de rire. De joie. Elle doit le sentir. Nos regards se croisent et elle a un sourire hésitant. Je me rapproche. Prendre son bras ? Quand même pas ! Il y a pourtant des femmes qui savent marcher unies, complices. Je louche du côté de son ventre. Bulle ou pas, rien ne se devine encore. La seule chose qui ait un peu changé, c'est sa poitrine; elle qui se plaignait de ne pas en avoir ! Et il y a un pot de crème supplémentaire sur sa coiffeuse : spéciale grossesse.

114

Les gens sont nombreux dans les rues. A certains moments, on est obligées de marcher l'une derrière l'autre, comme ces couples qui ont l'air de s'être tout dit.

Silence profond jusqu'au café.

La salle du fond est vide. Personne ne doit apprécier ces banquettes en plastique craquelé, cette lumière sinistre. Claire regarde l'endroit, ne fait pas de commentaires mais avant de s'asseoir passe un mouchoir sur son siège. C'est bien elle! C'est bien elle aussi de porter une jupe blanche mi-décembre!

Je retire mon duffel-coat. Elle a gardé sa veste. Elle a mauvaise mine; du mauve sous les yeux. Elle se tourne vers la glace, soupire : « Quelle sale tête j'ai! » La patronne est là, l'air d'avoir été dérangée. Nous commandons une salade du chef et un croque-monsieur. On partagera.

Le menton sur le poing, Claire me regarde en silence. Je remarque :

« Tu n'as pas l'air heureuse!

— Heureuse ? »

Cela a jailli. Dans l'étonnement. Comme si le bonheur, il ne pouvait en être question. C'est tellement triste que je proteste.

« Alors ce n'était pas la peine de le garder.

— Je ne pouvais pas faire autrement », tranche-t-elle.

Je ne comprends plus. Elle pouvait. Charles n'était pas pour mais il l'aurait guidée. Il n'aurait jamais laissé sa fille aller n'importe où, vers n'importe qui. Même maman aurait coopéré à partir du moment où son choix aurait été fait.

« Tu pouvais très bien. »

Elle détourne la tête. Je revois la lettre au fond du tiroir. Le nom d'Antoine me brûle les lèvres.

« A l'hôpital, dit-elle à voix basse, tu sais ce qu'ils m'ont raconté ? Quand ils vous le retirent, ils doivent tout reconstituer pour voir s'il ne manque rien. Si rien du gosse n'est resté en toi.

— Les salauds! Ils disent ça pour dissuader les femmes.

— Peut-être! Mais en attendant, c'est vrai. Ils sont obligés de le faire. Un puzzle de bébé! »

Elle me regarde, profondément.

« Pour la première fois que j'avais à faire un choix, moi, moi toute seule, ça ne pouvait quand même pas être ça! »

Un garçon et une fille entrent. Ils vont à la table la plus loin de nous et, sitôt assis, comme s'ils n'attendaient que cela depuis des siècles et que c'était urgent, ils s'enlacent, se soudent. On pourra dire ce que l'on voudra mais c'est beau, eux deux. Eux, un! Je demande :

« Et Antoine? »

Elle ne s'y attendait pas et reste sans mots. Son visage se referme comme si je venais de lui porter un coup injuste. Je n'ai jamais frappé Claire. Cécile, oui. A tour de bras.

« Qu'est-ce qu'Antoine vient faire là-dedans? »

— Si tu l'avais entendu parler de toi aux parents. Pour lui, tu es...

— Un fantôme, coupe-t-elle d'une voix sourde, une idée, un zombie. C'est ça! Un zombie! »

Et elle se tourne vers la patronne qui apporte nos deux assiettes, le croque-monsieur et la salade. Et, sans attendre, elle attrape sa fourchette. Elle fuit. Tant pis. J'y vais.

« Ne te moque pas de lui. Tu sais bien qu'il t'aime. Enormément. »

Enormément! J'ai trouvé moyen d'ajouter cet adverbe idiot. C'est bien moi. Peur de tout, même des mots. La fourchette tinte sur la table. Elle me regarde quelques secondes, loin, avec défi. Elle va m'envoyer paître, se lever, retourner à ses fleurs. J'ai tout gâché. Elle a dit : « Il bouge. » C'était un cadeau formidable qu'elle me faisait. J'ai répondu : « Antoine. » Pourquoi ?

Mais voilà que son regard chavire; elle prend son visage dans ses mains et ses épaules s'affaissent. Mais voilà qu'elle se rend. Tout craque : toute l'indifférence qu'elle a affichée depuis plusieurs semaines. Je ne sais plus que dire. Je suis bouleversée. J'avais pensé : « Elle l'aime peut-être. » Au fond, je n'y croyais pas. Et maintenant je le vois cet amour, chaud, palpitant, presque indécent. Et j'ai l'impression que je n'ai jamais touché Claire de si près. Quelle Claire ?

Sans relever la tête, elle allonge sa main vers son sac, en sort un mouchoir et se mouche sans bruit, discrètement, à la princesse, derrière ses cheveux. J'ai une boule terrible dans la gorge. Je pose la main sur son poignet. Si j'ai du mal à faire ces gestes, c'est qu'ils sont tellement pauvres, ils reflètent si peu ce que l'on voudrait faire passer. Mais on n'a qu'eux.

« Claire ! »

Elle relève enfin la tête. Ses yeux sont superbes, approfondis par les larmes, bleu-roi, bleu-vie.

« Tu ne crois pas qu'il aurait pu m'aimer... énormément, avant l'Amérique ? Avant Jérémy ? »

Elle trouve le moyen de sourire. Parce qu'avant l'Amérique, nous ne connaissions pas Antoine. Parce que sans l'Amérique, il ne serait jamais venu à *La Marette*. Il ne l'aurait jamais aimée, ni un peu, ni énormément. Pas du tout.

Par mon regard, je la supplie de parler puisqu'elle a commencé. C'est peut-être une histoire fichue mais c'est quand même une belle histoire comme toutes celles qu'on n'attendait pas. Elle était tellement certaine, il y a quelques semaines, de ne pas vouloir aimer. Elle parlait de prison : ni liée à un homme, ni liée à un travail. Et voilà. Ma pauvre Princesse.

Elle murmure que pour la première fois elle a eu l'impression d'être comprise, totalement. Comprise, vue, acceptée, telle qu'elle est. En moi, tremble un sourire : telle qu'elle est ? Sainte Blandine ?

« L'impression, répète-t-elle, l'impression... » et je ne comprends pas cette soudaine détresse dans sa voix.

« C'était au début. Quand on est rentrés d'Amérique. »

Chaque fois, en pénétrant dans le salon, le regard d'Antoine cherchait Claire et elle sentait l'envahir comme une vague chaude et forte, à la fois certitude et étonnement.

« Je me sentais si bien. Je me disais que sans Bernadette nous ne nous serions jamais rencontrés. »

Lorsqu'on aime, l'un des moments dont on préfère se souvenir, c'est celui où on a failli se manquer, où l'amour a hésité à se poser. Parce que tant d'hommes, tant de femmes, tant de solitudes et si peu de rencontres. On était là, avançant sur deux chemins différents, et voila !

« Pour Bernadette, je n'arrivais pas à être vraiment inquiète. Quand j'allais à l'hôpital, je pensais à Antoine et je me disais que tout s'arrangerait. Nous parlions d'elle. A chaque fois, elle nous réunissait un peu plus, tu ne peux pas savoir. Et puis un soir... »

Son visage s'est assombri et elle regarde maintenant par-dessus mon épaule. Un soir ?

« Tu te souviens, quand je suis restée coucher près de Bernadette ? A l'hôpital ? Antoine est venu me rejoindre. Il est resté là jusqu'au matin. Nous n'avons pas dormi. »

Elle ferme les yeux. « Et ça a été la fin de tout ! »

La fin de tout ? Je comprends de moins en moins.

« Il m'a raconté son enfance. Cela ne sortait pas facilement, je te promets. Je sentais comme c'était important : un cadeau qu'il me faisait. Il avait sept ans quand sa mère a fichu le camp avec un bonhomme, le laissant seul avec son père. »

Je revois Antoine, ses silences, cet air de n'être pas tout à fait là, tout à fait revenu de quelque part. De son enfance, alors ?

« Il s'en est tiré, dit Claire. Mais après il a fallu qu'il rencontre cette Philippine ! »

« Cette Philippine ! » Rancune, mépris, détresse dans sa voix. Elle connaissait donc son existence avant qu'elle vienne à la maison ? Je commence à comprendre, pour la lettre.

« Qu'est-ce qui s'est passé ?

— Ils se sont connus tout jeunes. C'était son premier amour. Et puis elle a été engagée par la télévision. Tu devines la suite. Elle disait que c'était lui qu'elle aimait mais elle ne savait pas résister aux autres. Il a rompu avant l'été. »

Claire tourne son bracelet autour de son poignet. Son visage est doux maintenant, résigné, mais si triste.

« Il me racontait tout ça et moi, je me rendais compte qu'il s'adressait à une autre. Une fille qui n'aurait jamais eu d'aventures, qui aurait attaché le même prix que lui à la pureté, la fidélité, tout ça. J'avais cru qu'il me voyait telle que j'étais, c'était tout le contraire. Les parents lui avaient raconté que j'étais sauvage, que je sortais peu. Conclusion, pour lui, j'étais vierge. Il n'arrêtait pas de répéter comme c'était important, pour lui, une fille sérieuse. Comme les filles légères, les filles faciles, ne l'intéressaient pas, ne l'intéresseraient jamais. Légères... comme si faire l'amour voulait dire qu'on ne représentait rien d'autre.

« Et tu ne lui as rien dit ?

— J'ai essayé. Ça ne voulait pas sortir. J'avais trop peur qu'il s'en aille. »

Elle rit tristement.

119

« Il n'a même pas essayé de m'embrasser. Il faut dire qu'on avait Bernadette à dix centimètres et qu'elle ronflait comme un sonneur. »

La lumière s'est à nouveau éteinte dans ses yeux.

« Et le lendemain, tiens-toi bien, j'ai eu mal au cœur pour la première fois. »

Ses yeux rougis, ses silences, les questions que nous nous posions. C'était simple au fond, banal, comme toutes les grandes choses de la vie.

« Voilà, dit-elle. Tu voulais savoir, tu sais ! »

Le croque-monsieur se racornit dans mon assiette. Je n'ose pas y toucher. J'ai faim pourtant. Deuil, catastrophe, mauvaise nouvelle, rien n'entame mon appétit. Ni mon sommeil. Pourtant, la tristesse est vraiment là. Mais avec un côté qui scintille. En un sens, je trouve ça plus beau qu'elle l'aime. L'espoir est là.

Elle pose la main sur son ventre. Lui aussi, il est là. J'oublie tout le temps.

« Et tu as décidé de le garder quand même !

— Qu'est-ce que tu voulais que je fasse ? Que je m'en débarrasse sans rien dire à Antoine ? Un mensonge de plus ?

— Non, dis-je. Evidemment ! »

Son visage est tel que j'ai honte d'avoir envisagé ça. En plus de toutes les qualités que prête Antoine à la Princesse, elle a celle-là : l'honnêteté.

« D'autant que pour lui, tu penses, l'avortement, ça doit être l'abomination. Un homme comme ça, je ne pensais pas que ça existait encore : le vieux jeu intégral.

— Mais tu l'aimes ! »

Elle ne répond pas tout de suite, elle regarde en elle-même. Le passé.

« Je n'ai jamais été si bien avec quelqu'un. Comme « à ma place », tu comprends ? A ma place. J'ai envie... de dormir près de lui.

— Et est-ce que tu regrettes pour les autres ? Pour Jérémy ? »

Je n'aime pas que l'on regrette. C'est regarder en arrière. C'est se dire qu'on a vécu pour rien.

« Je ne sais pas. Les autres ne comptaient pas. En un sens, ils m'ont montré que lui, c'était différent.

— Alors va le lui dire ! Maintenant ! Cours ! »

Elle écarquille les yeux.

« Jamais ! Je ne pourrai pas. Je ne veux pas qu'il souffre.

— Il souffre déjà. Et il faudra bien qu'il sache !

— Le plus tard possible. Je veux essayer de lui faire comprendre avant... que je ne l'aime pas. »

Elle prend sa fourchette. Son visage est redevenu neutre. Je sens l'effort qu'elle fait sur elle-même. Elle s'éloigne.

« Maintenant on n'en parle plus ! S'il-te-plaît ! »

Il est une heure trente, déjà ! C'est indiqué sur la pendule, au mur. Nous n'avons pas vu le couple partir. Ils n'avaient pas beaucoup de temps mais ils en ont vraiment profité. Maintenant, là où ils étaient assis, il n'y a plus que deux tasses vides. Des tasses qui racontent l'absence.

J'entame mon croque-monsieur. La vie est dense autour de nous; elle est oppressante et belle. Je la sens partout. Claire l'a réveillée avec sa souffrance. Et moi aussi, j'ai mal.

J'ai mal il y a deux mois, quand sur ma Mobylette j'allais voir Antoine dans cette maison qu'il venait d'acheter. Quand je projetais de le séduire. J'avais retiré mon soutien-gorge. Ridicule ! Pauvre fille, vraiment ! Ce jour-là, Claire, je ne te le raconterai jamais. Mais je t'offre cette visite pour rien, ce calendrier de cœurs sur le mur, le chien nu et ma tête qui tournait d'attente.

Les cadeaux, c'est aussi ce qu'on garde pour soi. Il t'a

donné ce qu'il portait de douloureux. Si, par miracle, cela s'arrangeait entre lui et toi, mon silence sur ce dont j'ai rêvé ce jour-là sera mon cadeau de fiançailles.

CHAPITRE XVII

L'AMOUR AUX PIEDS LIÉS

Très vite après le dîner j'ai dit que je montais terminer ma valise et je suis sortie sans faire de bruit par la porte de la cuisine. Tout le monde était plus ou moins occupé avec ses bagages. De toute façon, si on s'apercevait que je n'étais plus là, tant pis !

La nuit était profonde. Il faisait plutôt doux. C'était un hiver hésitant, tendre et mouillé, traversé de longs frissons de vent. Pour les odeurs, les hivers comme ça, c'est idéal, mais les gens étaient inquiets car le froid se venge toujours et, finalement, quand son temps est venu, on préfère le subir que l'attendre.

J'ai poussé ma Mobylette un moment pour n'alerter personne mais ça n'a pas empêché un chien d'aboyer comme pour une troupe de cambrioleurs. Notre chemin est sans issue et très calme le soir.

En passant, j'ai vu Grosso-modo dans la cuisine, lisant son journal, et j'ai ressenti de la tendresse pour lui. Il serait peut-être encore là quand je reviendrai, lorsque les dés seraient jetés. Cela m'a apaisée de lui donner ce rendez-vous.

L'église avait l'air de veiller dans l'auréole de tous les vœux, tous les appels qui s'y étaient exprimés. J'ai souhaité : « Mon Dieu, faites que tout s'arrange. » Je suis assez infâme avec Dieu. Je ne m'adresse à lui que quand ça ne va pas. Quand ça va, je ne suis même plus sûre qu'il existe.

Il me semblait réveiller toute la campagne avec mon moteur et je n'étais pas tellement rassurée. Les parents n'aiment pas que nous circulions seules la nuit et quand nous sortons, l'un nous accompagne, l'autre vient nous chercher. Mais, pas un instant, je n'ai été tentée de revenir en arrière.

Je n'ai eu aucun mal à retrouver le chemin et je suis arrivée très vite. Sept kilomètres, pourtant ! De loin, j'ai vu la voiture d'Antoine dont un lampadaire faisait briller les pare-chocs. Le jardin n'avait toujours pas de clôture mais il faisait moins décharge publique. J'ai constaté en le traversant que le banc sur lequel nous nous étions assis se trouvait toujours là.

C'était allumé dans la grande pièce du bas. Il devait avoir fini de dîner et il lisait ou travaillait. Moi, je n'aurais jamais pu vivre comme ça, sans quelqu'un à qui parler, à qui offrir quelque chose, ou simplement un visage familier à regarder de temps en temps.

Personne n'a répondu quand j'ai frappé. La porte n'était pas fermée à clef. Je l'ai poussée.

La pièce était vide. J'ai imaginé un homme pendu. Souvent, ce genre d'images terribles me traversent.

Antoine avait repeint les murs en blanc : un blanc plâtre graillonneux sur lequel on avait envie de passer la main pour sentir les aspérités. Comme meubles, à peu près rien. La grande table de ferme, un buffet, quelques coussins devant la cheminée. Ni feu, ni musique.

Un bruit de friture venait de la cuisine qui communiquait avec cette grande pièce. C'est là que je l'ai trouvé.

Il ne m'a pas entendue arriver. Il se faisait des œufs au plat. Je crois que c'est à cet instant que j'ai réalisé

124

que j'allais le faire souffrir. A cause des œufs. A cause surtout de la petite tranche de lard et de la tomate qu'il avait mis dessous et dont j'allais l'empêcher de profiter. A moins que j'attende qu'il ait fini de dîner pour parler, mais ça, je me doutais bien que je n'en serais pas capable.

J'ai toussé comme on fait dans les films pour attirer l'attention et je lui ai fait une peur bleue. Il faut dire que j'étais à dix centimètres de son épaule. Vous êtes bien tranquille en train de vous mijoter une paire d'œufs au bacon et vous vous retrouvez nez à nez avec une fille hirsute que l'hiver a fait pleurer et qui a une expression tragique parce qu'elle vient de vous imaginer pendu dans votre salon.

J'ai dit tout de suite que tout allait bien; enfin, à peu près. Il a posé la main sur mon épaule et m'a demandé de lui accorder une seconde pour ses œufs.

Je n'avais pas vu Antoine depuis plus d'un mois puisque Claire avait atteint son but et qu'il ne venait plus à *La Marette* et je l'ai trouvé changé. C'était peut-être ses vêtements; il était habillé comme pour aller faire du ski et j'ai seulement réalisé qu'il faisait froid et qu'il n'était sans doute pas encore chauffé.

J'ai pris bêtement un des pots d'herbes qui traînait là et j'ai feint de l'examiner.

« C'est du thym, m'a-t-il expliqué. J'en mets un peu partout. C'est très bon ! »

Il a désigné sa poêle :

« Tu veux que je rajoute deux œufs pour toi ? »

Non merci ! J'avais dîné.

Il y avait dans son attitude quelque chose qui me tenait à distance. J'avais dit que tout allait « à peu près » à la maison, sans rencontrer aucun écho. Il ne me demandait pas pourquoi j'étais venue, à neuf heures passées, comme si cette visite allait de soi. Ou peut-être comme s'il voulait m'empêcher de parler.

J'ai rassemblé tout mon courage.

« Je suis venue pour te parler de Claire. »

Il n'a pas réagi tout de suite. Il a continué à s'occuper de ses œufs, piquant avec beaucoup d'application le blanc là où il faisait des bulles.

« Eh bien ? Ça marche, les fleurs ?

— Pas très bien. Elle est très fatiguée.

— Fatiguée ? »

Son ton était incrédule, ironique aussi. J'ai dit : « Claire n'est pas une force de la nature, tu sais. »

Cette fois, je n'avais pas de mal à le tutoyer. Au contraire. C'était se rapprocher; lui rappeler qu'il s'était senti bien avec nous.

Il a eu un rire : « Justement si ! Sous ses dehors Princesse, ta sœur a une force formidable. Qui s'en serait douté ? »

Il ne cherchait pas à cacher sa rancune. « Force », pour lui, je comprenais bien que cela voulait dire « dureté ». Il croyait que Claire l'avait rejeté sans raison; ou pour celui qui la raccompagnait le soir. Je ne pouvais pas le laisser penser ça, alors j'ai dit :

« Elle attend un enfant ! »

Ces mots m'avaient paru moins terribles à prononcer que « elle est enceinte », mais, à lui, ils ont fait le même effet.

Il s'est retourné d'un coup et j'ai cru qu'il allait me frapper. J'ai reculé.

« Non ! a-t-il dit. Ce n'est pas possible ! »

Je n'ai pu qu'incliner la tête. Si !

« Ce garçon ? Ce blond ?

— Non, un Américain. Jérémy ! »

Je m'apprêtais à ajouter qu'elle ne l'aimait pas, qu'il ne comptait pas pour elle, il ne m'en a pas laissé le temps. Il a lancé sa fourchette contre le mur et il a quitté la cuisine.

Je suis restée un moment immobile. J'avais le cœur

qui battait comme lorsqu'on a couru trop longtemps. J'ai ramassé la fourchette pour faire quelque chose. Je n'arrivais pas à rassembler deux idées.

Et soudain, j'ai eu peur qu'il soit parti pour *La Marette* et j'ai foncé dans le salon.

Il avait ouvert grand la porte sur le jardin et il se tenait sur le seuil, respirant la nuit à longues inspirations. J'avais pensé que cela lui ferait mal, mais ça, non ! Pas ses deux mains crispées sur le rebord de pierre comme s'il voulait faire tomber sa maison sur lui. Pas cette respiration de noyé. C'était tellement violent qu'on aurait dit du théâtre.

Je me suis approchée.

« Elle ne l'aime pas. Elle ne veut pas l'épouser. »

Il n'a pas répondu. Ses yeux étaient fermés. J'avais envie de partir. Je l'aurais peut-être fait s'il n'avait pas bouché la porte.

Je suis allée vers la cheminée, le foyer éteint pareil à un amour mort et j'ai attendu. Quand il est venu vers moi, il avait un visage fermé, hostile.

« Si elle ne l'aimait pas ? Si elle ne voulait pas l'épouser, pourquoi ? »

Je l'ai regardé sans comprendre.

« Mais c'est un accident ! Elle ne l'a pas fait exprès !

— C'est par accident qu'elle a fait l'amour avec lui ? C'est sans le faire exprès ?

— Pour Claire, faire l'amour, ça n'a pas une telle importance ! »

Et j'ai ajouté bêtement :

« Comme pour beaucoup de filles maintenant ! »

Son visage est devenu encore plus dur.

« J'imaginais justement que vous n'etiez pas "beaucoup de filles ". »

Du côté de la cuisine, cela commençait à sentir sérieusement le brûlé. A l'odeur, c'était le bacon. J'étais ennuyée de penser aux œufs à un moment pareil, c'était indigne, mais tout ça n'empêcherait pas sa poêle de cramer ni lui d'être obligé de s'acharner dessus. Alors, j'y suis allée et je me sentais raide comme si le monde entier m'avait suivie des yeux.

Cela avait mauvais aspect. Il s'était formé des bulles noirâtres. J'ai éteint sous le gaz, mis la poêle dans l'évier ce qui a déclenché toutes sortes de sifflements et pendant que j'y étais j'ai jeté les coquilles d'œufs dans la poubelle. Il y avait un demi-verre de vin qui traînait, je l'ai vidé. Tant pis. Il y a des moments où ça fait du bien de se faire mal.

Quand je suis revenue, il était assis devant la cheminée, penché en avant, et il regardait ses mains qui pendaient entre ses jambes. J'ai remarqué que lorsqu'on est malheureux on regarde souvent ses mains comme si on attendait d'elles qu'elles fassent quelque chose; elles, au moins !

Je suis allée m'asseoir un peu plus loin. J'avais peur de sentir le vin.

« Si donner son corps, si se donner, cela n'a pas d'importance, veux-tu me dire, Pauline, ce qui en a pour toi ? »

Au fond, je pensais comme lui. Se donner, cela avait été important pour moi. Je souhaitais que cela le reste. Mais si je lui disais ça, je me retrouverais avec lui contre Claire. Impossible ! Alors, prise entre les deux, je n'ai trouvé aucun mot pour répondre et il a mal interprété mon silence.

« Crois-tu que ta famille serait ce qu'elle est si, pour ta mère, cela n'avait pas eu d'importance ? Est-ce que tu imagines que tes parents n'ont jamais eu à dire "non" ? »

La colère est montée en moi comme un incompréhensible désespoir. Il n'avait aucun besoin de parler de mes parents. Mes parents n'avaient rien à faire là-dedans.

« On parle de Claire, ai-je dit. Pour mes parents, ce n'était pas la même chose.

— Je ne vois pas pourquoi ! Nous sommes tous faits d'une même chair. Et si tu n'apprends pas à te résister, tu ne pourras jamais construire quelque chose de solide. »

Pureté, virginité. Claire avait raison ! Le vieux jeu intégral. Ah ! le bon vieux temps où les femmes se gardaient pour des hommes qui s'empressaient de les tromper avec celles qui aimaient l'amour. Est-ce que ça ne valait quand même pas mieux d'être comme Claire que comme notre arrière-grand-mère, Rose, qu'on avait retrouvée sur le haut de l'armoire le lendemain de ses noces ?

C'est à ce moment que la pitié m'a quittée. Je ne supporte pas les gens qui ont des jugements tranchés, qui vous parlent sans raison de vos parents et regardent vers le passé. Le nom de Philippine est venu tout naturellement à mes lèvres. Parce que Claire avait peut-être eu Jérémy, mais lui, il ne s'était pas, que je sache, résisté avec Philippine. Une chance qu'elle ne se soit pas retrouvée enceinte elle aussi.

« Et Philippine ? »

Cela l'a cloué. Tant mieux. J'en ai tout de suite rajouté.

« Elle est venue à la maison. Dans tous ses états. Elle te cherchait. D'ailleurs, elle a laissé un mot pour toi. »

Et comme preuve, j'ai sorti la lettre et je la lui ai tendue.

Il l'a lue. Il l'a froissée et il a attendu un moment pour répondre.

« C'est terminé entre Philippine et moi.

— C'est terminé entre Claire et Jérémy. »

J'attendais qu'il me dise que, pour les hommes, ce n'était pas la même chose. Cela manquait au tableau. Il m'a simplement regardée et soudain j'ai eu honte.

« Avec Philippine, cela n'a pas été sans importance.

Cela n'a pas été un accident mais une erreur. Douloureuse pour tous les deux. »

Il avait parlé sèchement et il m'a semblé qu'il me méprisait. Il avait raison d'ailleurs. J'ai eu envie d'en terminer, de dire ce qui restait à dire et de m'en aller. Que Claire l'aimait mais que jamais elle ne le lui avouerait. Qu'elle pleure la nuit. Qu'avec ses yeux creux, son ventre au contraire, sa fatigue, elle ne fait plus Princesse du tout. Que, s'il est vrai qu'un enfant attendu dans la joie sera un enfant heureux, alors, le sien n'a pas sa chance.

A la fois j'avais envie de le dire mais je ne pouvais pas. Quelque chose m'en empêchait. Je crois que je lui en voulais : d'avoir cent ans! D'avoir parlé de mes parents, d'avoir aimé Philippine. Je n'avais pas envie de lui faire plaisir.

Il s'est levé. Il est allé chercher une bouteille, un verre et s'est servi. Juste avant de boire, il s'est souvenu de moi.

« Tu as soif? »

J'ai désigné son verre : « Oui! Ça! »

Il a hésité. Il n'y avait pas d'étiquette sur la bouteille et, dans ce cas, c'est toujours quelque chose de corsé. J'ai bu d'un trait, comme le vin tout à l'heure. Un instant, je n'ai plus rien vu.

« Et que va-t-elle faire?

— Se débrouiller.

— Se débrouiller? »

J'ai deviné à quoi il pensait et j'ai vite dit :

« L'élever. »

Il a semblé soulagé. En un sens.

« Toute seule?

— Toute seule. Les fleurs, c'est à cause de ça. »

Pour la première fois, j'ai senti passer quelque chose d'un peu différent, comme un reste de tendresse. C'est parti avec sa voix.

« Un enfant! A-t-elle réalisé ce à quoi elle s'engageait?

— Evidemment! »

Mais il ne semblait pas en être plus sûr que moi. Nous sommes restés un moment dans le silence. J'avais froid devant cette cheminée vide, dans cette pièce où on ne sentait la présence d'aucune joie.

Il m'a regardée. Il a disparu dans sa chambre et quand il est revenu il portait une couverture qu'il a lancée sur mes jambes, sans rien dire.

C'est à partir de ce moment, de cette couverture qui m'autorisait à rester, malgré tout, qu'une sorte de bien-être m'a envahie. Il s'était assis, lui aussi. Il ne parlait pas encore. Il fixait le mur; moi, je fixais dans son verre, le reflet de l'alcool qui me brûlait encore la gorge. J'attendais dans le calme. Le temps de la révolte était passé.

Alors, comme s'il se parlait à lui, il m'a raconté Frédéric.

C'était un enfant de l'Internat dont il s'occupait en tant que généraliste : un petit garçon de dix ans : autistique. Frédéric ne parlait pas. Il ne mangeait que ce qu'il fallait pour ne pas mourir de faim. Pour marcher, il s'attachait les pieds avec des lacets de façon à n'avancer que le minimum. Il refusait de vivre parce que la vie représentait pour lui une trop grande menace.

J'ai murmuré : « Pourquoi?

— Ses parents ne l'ont jamais accepté. Il les gênait. Ils le lui ont montré.

— Mais que peut-on faire pour lui? »

Il me semblait que je posais cette question aussi pour moi. J'ai espéré qu'Antoine ne s'en apercevrait pas.

« Etre là, a-t-il dit. C'est tout. Etre vraiment là. Et un jour, peut-être, de ton regard au sien passera une lumière, un message. »

J'avais remonté la couverture jusqu'à mon menton.

Je pensais à ce message qui pouvait très bien n'atteindre jamais son but. D'une voix assez douce, Antoine m'a dit qu'il ne savait pas pourquoi il me racontait ça. Si ! sans doute pour me faire comprendre l'importance de l'amour. Il suffit d'un regard d'amour pour que l'enfant se sente accepté par le monde. L'amour est directement lié à la vie. Il ne faut jamais l'oublier. C'est tout.

Je me demande si je ne me suis pas endormie. Je voyais Frédéric avancer à petits pas, les pieds liés par ses lacets. J'essayais de rester à côté de lui. Je n'y parvenais pas.

« Tu dois rentrer, a dit soudain Antoine. Sais-tu quelle heure il est ? »

Il était debout devant moi et il avait l'air gris. Exactement ça : gris. Il a retiré la couverture et j'ai eu froid.

« Est-ce qu'on sait, chez toi, que tu es là ? »

J'ai dit « non ». Je n'avais rien dit à personne et je préférais que personne ne sache rien. Surtout Claire !

« Pour Claire, ne t'en fais pas. Elle n'aura aucune raison de l'apprendre. »

Cela voulait dire qu'il ne la reverrait plus. J'aurais encore pu dire qu'elle l'aimait mais, à nouveau, je n'ai pas pu. J'étais trop fatiguée.

Il a décidé de me suivre en voiture jusqu'à la maison. Il ne tenait pas à ce qu'il m'arrive un accident. Mes parents devaient avoir suffisamment de soucis comme ça ! Un langage de vieux.

Avant de sortir, je me suis retournée et j'ai regardé cette salle où sans doute je ne reviendrais jamais et où il avait dû, plus d'une fois, imaginer ma sœur. Alors, comme s'il devinait mes pensées, il a dit : « Maintenant, je ne pense pas que je ferai long feu ici. »

Avant qu'il monte dans sa voiture, je lui ai annoncé que nous partions demain matin pour Montbard. Nous emmenions la Princesse. Elle avait eu deux malaises cette semaine et papa l'obligeait à lâcher son travail.

Cela n'a pas eu l'air de le frapper spécialement. Il a mis son moteur en marche avant que j'aie tout à fait terminé.

En roulant devant lui, je lui criais que Claire l'aimait, que cette histoire était stupide, qu'il faudrait savoir dépasser la jalousie, l'exclusivité, les exigences, pour essayer de bâtir uniquement sur l'amour. Je lui criais que je ne serais jamais jalouse et pourtant je voudrais être le premier amour de quelqu'un.

C'était éteint chez les Tavernier et, à *La Marette*, seule brillait la lumière de ma chambre que j'avais laissée allumée exprès.

Les bagages étaient empilés dans l'entrée. Je suis montée sur la pointe des pieds et j'ai ouvert la porte, sans faire de bruit.

Claire était là !

Elle s'est levée et, tout de suite, j'ai su qu'elle avait deviné. Il y avait sur son visage un mélange de fureur et de dégoût. Je ne l'avais jamais vue ainsi, comme prête à me frapper.

Elle a marché vers moi.

« Où étais-tu ? »

Je n'avais pas besoin de répondre puisqu'elle savait. Son visage s'est crispé encore plus. Il m'a fait peur. Il m'a fait honte. Je m'y suis vue.

« Qu'est-ce que tu lui as dit ?

— Que tu attendais un enfant.

— Et puis ?

— Que tu n'aimais pas Jérémy.

— Pourquoi ? a-t-elle demandé. Pourquoi as-tu fait cela ?

— Pour t'aider. »

Alors elle a ri. Puis elle m'a regardée avec un très profond mépris. Je me souviens surtout de ses lèvres, très fines, serrées l'une contre l'autre. Les lèvres expriment mieux que le reste le dégoût.

« Si tu avais voulu m'aider, tu n'aurais pas bougé. Tu es allée le voir pour toi ! Pour te faire plaisir, parce que tu te mêles de tout, parce que je ne sais pas quoi mais tu es dégueulasse. »

Elle n'a pas claqué la porte. Elle est simplement sortie en la laissant grande ouverte comme si je n'existais plus.

Et à la rage qui m'emplissait, presque à la haine, j'ai compris qu'elle avait raison.

CHAPITRE XVIII

LES ODEURS DE L'ENFANCE

L'HIVER vraiment! J'allais dire « enfin ». Blanche, là-bas, la forêt aux champignons. Blancs les prunelliers au bord du chemin et les prés entre lesquels serpente la Brenne, si caressante aux épaules, l'été, avec, le long des berges, de longues herbes qui vous effleurent.

Blancs, les toits de Montbard, qui montent et montent jusqu'au sommet de la colline, jusque nos toits à nous, sous les deux tours du parc Buffon : la tour de l'Aubespin et celle de Saint-Louis, qui nous appartiennent un peu puisque nous logeons dans la maison de Daubenton, l'ami du célèbre naturaliste.

La voiture patine dans la côte. La neige fondue éclabousse les trottoirs. Nez collés aux vitres, nous énumérons les boutiques.

Ici, c'est la pâtisserie où l'on commande les gougères le dimanche matin. Là, le salon de coiffure avec Madame Lecœur qui appelle toujours son mari pour tracer les raies droites! Ignorons les banques et cabinets d'assurance, inintéressants! Voilà du sérieux : la crémerie aux fromages blancs et là, au tournant, le grand magasin qui fait un peu de tout.

« C'est quand même chouette, les souvenirs d'enfance, murmure Cécile », les yeux brillants.

Et elle applaudit lorsqu'apparaissent les murs de la terrasse du bas. Notre terrasse.

Le jardin de grand-mère, deux hectares, est une succession de terrasses, autrefois potagers de Buffon : sept en tout, et sur chaque terrasse un puits, et au fond de chaque puits la mort qui vous tend son miroir.

La grille est grande ouverte. Nous longeons l'allée qui mène aux deux maisons jumelles, l'une habitée par grand-mère, l'autre par oncle Alexis. Jumelles ? On en reparlera.

Et voici qu'au moment où Charles arrête la voiture au bas de l'escalier qui se sépare en son milieu, une branche vers chaque demeure, retentit à toute volée la cloche des repas.

C'est l'oncle Alexis qui avertit ainsi grand-mère et les environs de l'arrivée de la famille. Maman jaillit de la voiture, se précipite au cou du vieux monsieur suspendu à la corde. Il lâche tout pour la serrer contre lui, les yeux fermés par l'émotion. Maman a toujours été sa préférée.

Quatre-vingt-trois ans, une tignasse de jeune homme restée mystérieusement rousse, des colères d'enfant et, d'après grand-mère, un sacré égoïsme, Alexis est l'aîné de la famille; puis vient Thomas, quatre-vingt-deux ans, prêtre à la retraite, puis venait Hélène, morte il y a dix ans, enfin, Charlotte-Marie : grand-mère, la seule des quatre enfants à s'être mariée, merci mon Dieu !

« Cette vieille Charlotte devient vraiment dure d'oreille, annonce Alexis à maman d'un air pas si mécontent car lui s'imagine entendre très bien. « Il n'y a plus que la cloche qu'elle perçoive, et encore, parce qu'elle est juste sous sa fenêtre. »

Justement, cette « vieille Charlotte », fait son apparition au balcon du salon, son plaid sur les épaules. Sans s'embarrasser de mots de bienvenue, elle nous ordonne de monter tout de suite.

« Rentre immédiatement ! hurle Alexis. Ta gorge !

— Ton dos ! hurle grand-mère en réponse, et vous, ne le laissez pas toucher aux valises, ce pauvre Alexis est inconscient. »

La fenêtre claque. Rouge de colère, Alexis regarde le balcon vide. Depuis l'enfance, on ne sait pourquoi, grand-mère a toujours appelé son frère « ce pauvre Alexis », et oncle Alexis qui aurait souhaité un destin brillant en est à chaque fois ulcéré.

« Inconscient... grommelle-t-il. Inconscient... On verra bien qui finira en prison.

— En prison ? s'exclama maman.

— Elle a recommencé, dit Alexis. Malgré l'avertissement. »

Grand-mère est bouilleur de cru. Chaque automne, on peut la voir, avec sa complice tante Nicole, sœur aînée de maman, dévaster les prunelliers au bord des chemins. Il en résulte une bonbonne d'eau-de-vie dont, avant de dormir, elle déguste deux doigts dans le fond tiédi de sa tasse d'infusion. Pas bourguignonne pour rien ! Mais elle a commis l'erreur d'en offrir un jour un godet aux gendarmes.

Nous passons à tour de rôle aux trois baisers réglementaires. Le nez de notre oncle est gelé. Je reconnais, sur ses joues, une odeur toute fraîche de mousse à raser.

A Charles, il se contente de serrer la main. Il ne lui a jamais tout à fait pardonné de leur avoir enlevé, à lui et à la Bourgogne, la « petite ». Surtout pour l'emmener aux environs de Paris, cette ville de cauchemar qui ne sent que le gaz des voitures. Les odeurs sont primordiales dans la vie d'oncle Alexis ; c'est de lui que je tiens mon besoin de flairer les gens.

Notre père déclare qu'il va sortir les valises et mettre la voiture au garage. Maman est déjà partie à l'assaut de l'escalier. Quand j'ai tendu à Claire le sac qu'elle avait oublié à sa place, elle a évité mon regard.

On devrait entrer par la grande porte du haut qui mène droit aux salons : le petit d'abord, avec le piano sur lequel, lorsqu'il vient ici, l'oncle Thomas s'exerce à chanter la messe, puis le grand, présidé par nos aïeux, rangés par couples aux murs, dans des cadres dorés; mais on a toujours préféré entrer par la cuisine.

Et tout de suite, en plein visage, en plein cœur, c'est l'odeur! Celle de la maison, liée étroitement à celles des vacances de la petite enfance. Elle sourd des murs, elle chante dans les reflets des casseroles de cuivre, elle est dans la lampe que l'on peut faire descendre jusqu'au ras de la longue table de bois. L'odeur de tout ce qui s'est mijoté ici, bien sûr, mais aussi celle des gerbes de fleurs jetées sur la table pour les bouquets, celle des interminables dénoyautages de questsches pour les confitures, les compotes ou les clafoutis, celle des infusions : thym pour le foie, millepertuis pour la constipation, serpolet et violette pour les enrhumés, et la pensée sauvage... et la reine des prés... et ces mélanges calmants ou revigorants dont grand-mère et Henriette ont le secret.

Henriette! Elle est là, près du gros fourneau chargé de chauffer le bas de la maison. Elle s'est placée exprès dans l'ombre pour qu'on l'y cherche et l'y découvre. Mais je vois que c'est fête à ses deux tabliers superposés et son chignon qui vient d'être refait. Un vrai sourire? N'y comptons pas! Henriette ne montre jamais sa joie : au cas où le Ciel l'en punirait.

Tordue, bossue, recueillie à seize ans par grand-mère qui n'en avait que cinq de plus, elle ne l'a plus jamais quittée. Elle prétend que c'est elle qui a élevé maman, tante Nicole et oncle Adrien. N'était-ce pas ses pauvres jambes tordues qui pédalaient des kilomètres pendant la guerre, pour ramener le beurre, le miel, le morceau de viande indispensable à leur croissance? Et tout doucement, au fil des ans, par le biais des menus, celui des horaires qui en découlaient, des jours de grande lessive, des clefs de l'armoire à linge, Henriette a pris possession de la maison; elle y règne en maîtresse. Est-ce le bonheur pour elle?

En attendant, maman est sur son cœur. Cécile qui vient ensuite en profite pour essayer de voir ce qui sent si bon dans la cocotte mais la poigne d'Henriette arrête net sa main sur le couvercle.

« Je vois qu'on n'a pas perdu les bonnes habitudes! »

Ni elle la sienne de garder secret le menu des repas jusqu'au moment où il arrive dans les assiettes!

Après nous avoir embrassées, elle nous passe toutes les trois en revue. Son regard s'arrête sur nos jeans.

« On peut bien critiquer les Chinois, on fait pas autrement! Tout le monde en uniforme! »

Je ne sais pas si c'est parce que j'ai grandi où qu'elle ne me fait plus peur mais elle me paraît plus petite.

Assis sur un banc, Alexis assiste aux retrouvailles, émouvant de bonheur. Henriette le désigne à maman.

« Ton oncle, ça fait bien cinquante fois qu'il me demande l'heure que j'en devenais bourrique! Sans compter qu'à chaque coup, il gobait un de mes œufs pour la mousse.

— Une mousse pour le réveillon? glisse Cécile, l'air innocent.

— Le réveillon? Quel réveillon? interroge Henriette, sourcil froncé.

— Mais c'est demain, Noël! proteste la Poison qui n'a pas oublié les règles du jeu.

— Ah! dit Henriette. Je croyais que c'était la fête de Jésus, moi! Pas celle des estomacs. »

Furieux coups de canne au plafond. C'est grand-mère qui s'impatiente. Nous fonçons toutes dans l'escalier.

Elle est debout au centre du salon, à côté du sapin dont l'étoile, comme promis, touche le plafond. A chaque branche, pend un cadeau. Le feu, dans la cheminée, allume les guirlandes et, sur la cheminée, la crèche. L'enfant Jésus rond et potelé entre le bœuf et l'âne, pas mal nourris non plus. Marie et Joseph au premier rang; tout de suite après, les bergers et une partie de leur troupeau; enfin, plus loin à l'écart, les rois mages que leurs trop grandes richesses rendent moins chers au cœur de Dieu.

« Qu'est-ce que vous faisiez? interroge grand-mère dont le regard tremble de joie. Vous en avez mis du temps pour monter.

— Henriette... » explique maman.

J'ai envie de tomber, là, dans un de ces fauteuils Régence, sur lesquels, petite, je n'avais pas le droit de m'asseoir de crainte d'en abîmer la tapisserie. Tomber et ne plus bouger. C'est trop bon! C'était trop nécessaire, Montbard, grand-mère, la crèche, tout ça! Rien qu'à les regarder, les retrouver, m'envahit le sentiment que les choses vont reprendre leur place. A commencer par Noël, cette lumière en décembre, ce fragile mariage de présent et de passé, cette chaleur. A *La Marette,* la lumière refusait de briller. Elle nous attendait là. Intacte.

Et Claire en est saisie! Immobile à l'entrée du salon, elle regarde de tous ses yeux le feu, la crèche, le sapin, et grand-mère toute petite, vêtue de sa plus belle jupe portefeuille gris perle, près des branches vertes. Et il y a dans le regard de la Princesse, dans sa façon de tendre le visage en avant, un cri, une avidité qui me serre le cœur. On dirait qu'elle découvre seulement qu'à Montbard, dans cette maison, se trouvait une vérité dont elle n'a pas su profiter. Et maintenant elle n'en a que le

140

reflet. Et le regret. Je me souviens des paroles d'Antoine, hier : « construire quelque chose de solide, de stable. » Est-ce cela, la vérité de cet endroit ? Ce qui fait que nous y sommes si bien ?

Grand-mère s'est immobilisée. Elle regarde Claire qui fixe le sapin avec son air d'appeler au secours. D'un geste lent, elle écarte Cécile et marche vers notre sœur. Ce n'est que lorsqu'elle pose la main sur son bras que la Princesse semble revenir sur terre.

« Je sais qu'à mon âge on a plutôt tendance à rétrécir, dit grand-mère, mais je ne croyais pas être devenue tout à fait invisible. »

C'est dit sans critique : pour faire sourire. Et Claire obtempère. Elle pose ses lèvres sur le front que grand-mère lui présente avec des faux airs de vexée. Mais à peine est-ce fait que, des deux mains, grand-mère s'empare de son visage, le présente à la lumière.

« Qu'est-ce que c'est que cette mine-là ? »

Silence. Claire ne veut pas mentir. Elle n'a jamais su. Et nous, dans la voiture, nous avons eu droit à un avertissement solennel. En accord avec la Princesse, c'est maman qui annoncera la nouvelle à grand-mère, quand elle jugera le moment favorable. Il est certain que cela lui fera un choc important. Grand-mère a des principes très stricts. Elle n'a pour ainsi dire jamais quitté la Bourgogne. Elle a toujours refusé d'avoir la télévision. Bref, grand-mère n'a pas évolué. Ça va être gai

« Claire a pris un travail, explique maman d'une voix qui sonne faux. C'est assez fatigant. Elle doit rester debout toute la journée.

— Et de quel travail s'agit-il ? interroge grand-mère, le sourcil froncé.

— Chez une fleuriste, se lance maman. En attendant mieux, évidemment !

— Mieux ? dit grand-mère. Moi, je vais vous le dire, le mieux. »

Elle va vers le sapin, arrange une guirlande, revient vers la Princesse.

« Rappelle-moi donc ton âge?

— Vingt et un ans », répond Claire sachant parfaitement que grand-mère connaît par cœur toutes nos dates, heures et péripéties de naissance.

« A vingt et un ans, déclare grand-mère, j'avais déjà mis au monde ton oncle Adrien et Nicole était en route. Je n'ai rien contre les fleurs mais tu ferais mieux d'avoir des enfants. »

C'est sur cette tirade que papa fait son entrée et ça lui scie les jambes, forcément; d'autant que sa belle-mère, lui ouvrant grand les bras, lui demande dans une même inspiration si ça lui dirait de devenir grand-père!

Prise d'un rire nerveux, je me retrouve dans l'escalier! Il est de pierre blanche, usée par endroits. Tante Nicole se plaint souvent de la difficulté de son entretien. Il paraît que la poussière s'y incruste. Elle y trace comme des veines qu'y fige le pied. Mais si la poussière c'était l'écume précieuse d'heures, de secondes passées! Si c'était tout ce que nous avons vécu ici, autrefois, quand Claire acceptait de me parler, quand elle venait, le soir, me supplier de la débarrasser d'un terrifiant papillon de nuit, quand, étendues nues l'une à côté de l'autre nous jouions au grand « jeu du froid[1] »!

Je m'arrête. Parfois, l'enfance vous prend à la gorge. C'est trop fort. Depuis cette nuit, Claire ne m'a pas regardée une seule fois.

L'escalier mène au long couloir sur lequel donnent les trois chambres à coucher. La plus belle, celle de grand-mère, est tout au bout, avec sa terrasse dont un grand sapin caresse le rebord de pierre. Puis, il y a celle du milieu que je partage d'habitude avec Cécile, enfin, la première avec son cabinet de toilette que choisit la

1. Voir *L'Avenir de Bernadette*.

Princesse, ça va de soi. Nicole couche dans la maison d'oncle Alexis. L'oncle Alexis s'est modernisé. Il y a le chauffage central chez lui et une salle de bain en état, toutes choses dont grand-mère a toujours fait fi. N'avons-nous pas pour nous chauffer, en quantité, du bois dans le bûcher? Et des poêles dans chaque chambre, et une bouillotte au pied de chaque lit? Quant à la salle de bain moderne, grand-mère a toujours estimé que trop de temps passé dans l'eau chaude ou devant le miroir faisait perdre de vue les problèmes importants et vous rendait plus vulnérable.

D'ailleurs, « ce pauvre Alexis » est toujours enrhumé!

Ma chambre n'a pas changé avec les deux hauts lits encadrés de bois foncé. Je prends mon élan, tant pis! et j'atterris au cœur de l'énorme édredon de plumes. Le mirus ronfle. Ici, cela sent le papier des murs, un papier fleuri à dominante verte, la couleur qui aide à dormir.

Entre les lits, le crucifix avec, dessous, le bénitier fraîchement approvisionné en eau de Lourdes dont grand-mère passe régulièrement commande aux personnes de son entourage qui s'y rendent chaque année pour demander ou remercier.

Je m'approche. Une couronne d'épines ceint le front sanglant de celui qui y est cloué. Ce qui m'a toujours le plus impressionné, ce sont les pieds, si réussis, les doigts si bien imités avec le clou qui les transperce et d'où perle, pareille à une larme, une goutte de sang. Je tends le doigt pour la toucher. La première fois que j'ai osé ce geste, j'ai eu l'impression de commettre un sacrilège à cause du plaisir trouble, incompréhensible, que j'éprouvais soudain et qui me paraissait être une approbation à ceux qui avaient crucifié Jésus.

« Ouf! » dit Cécile qui vient de surgir derrière moi et précipite le sac des cadeaux sous le lit.

Elle me raconte que Claire a presque eu mal au cœur sous le nez de grand-mère qui a passé un savon à maman en déclarant qu'elle ne surveillait pas assez l'alimentation de sa fille. En attendant, il a été décidé que Claire coucherait chez l'oncle Alexis.

D'un regard, Cécile reprend possession de la chambre et soupire de bien-être.

« Si j'ai froid, je viendrai dans ton lit. »

Puis elle se tourne vers le crucifix et passe un doigt plein de tendresse sur le visage douloureux comme elle caresserait un ami qu'elle viendrait de retrouver.

« Pour Jésus, dit-elle, ce qui me fait le plus mal, c'est que juste avant de mourir il a cru que son père l'avait lâché. Imagine papa ! On ne se remet pas de ces choses-là ! »

CHAPITRE XIX

UNE PRÉCIEUSE ENVELOPPE

« Mon Dieu, bénissez ce repas, dit grand-mère. Donnez du pain à ceux qui n'en ont pas et faites qu'Adrien cesse de faire l'idiot en voiture et nous arrive entier ce soir.

— Amen », dit la famille, la voix convaincue de Nicole dépassant toutes les autres.

Nous prenons place. Papa à la droite de grand-mère, maman à celle d'oncle Alexis, les autres à leur fantaisie. Comme d'habitude, durant le bénédicité, Charles s'est tenu bien droit pour montrer qu'il respectait les croyances de chacun mais il n'a pas dit « amen » et n'a pas fait le signe de croix. Et comme d'habitude, tandis qu'elle se signait, d'un geste particulièrement développé, grand-mère le guettait car elle espère toujours le miracle ! Depuis le temps qu'elle prie pour la conversion de son gendre !

« Les idioties d'oncle Adrien, demande Cécile, qu'est-ce que c'est exactement ?

— Comme si tu ne le savais pas, dit grand-mère. N'importe quoi à condition de faire hurler Philippa. »

Philippa est la femme d'Adrien, le frère aîné de maman. Nous en reparlerons. On les attend en fin de soirée avec Gaston, onze ans, leur petit dernier. Ils vivent à Dijon. Ils n'ont pas déserté la Bourgogne, eux !

Tante Nicole, arrivée comme nous entrions dans la salle à manger, veut qu'on lui raconte tout. C'est donc vrai que Bernadette passe Noël chez les Saint-Aimond et qu'elle ne viendra ici que la veille du premier janvier ? Papa est-il réellement obligé de retourner à Paris du 26 au 30 ? Si les docteurs se tuent au travail, qui soignera leurs malades ? Et la famille, ça passe quand, alors ?

« A la queue », soupire Cécile.

Nicole rit. Deux ans de plus que notre mère, célibataire, assistante sociale, amoureuse de la vie. Rien qu'à la regarder, on respire mieux.

Oncle Alexis ne s'occupe que de maman, lui choisit le croûton de pain, remplit son verre de vin, s'arrange pour lui prendre la main toutes les trois minutes. Nicole nous apprend que Montbard est dans l'excitation : Démogée, le fameux écrivain, le plus jeune membre du jury Goncourt, dont on voit presque quotidiennement le nom dans les journaux, a accepté de venir le 25 décembre animer une causerie sur les grands problèmes de notre époque et signer son dernier livre.

Démogée est né dans la région mais avait depuis longtemps oublié les Bourguignons. C'est un grand honneur qu'il fait à la ville et au foyer Vermeil dont s'occupe activement notre tante et de qui est issue l'invitation.

« Foyer Vermeil ! s'indigne grand-mère. On ne sait plus quoi inventer pour parquer les vieux ensemble. On a oublié la façon de s'en servir alors on essaie de leur faire croire qu'ils ont encore vingt ans et bon débarras ! N'est-ce pas mon pauvre Alexis ? »

Le pauvre Alexis pousse un grognement incompréhensible et se concentre sur le plat d'œufs aux tripes qu'Henriette vient de poser sur la table. En fait de tri-

pes, ce sont des oignons. Tant mieux! Un sourire brille
dans les yeux de maman tandis que notre oncle sort
avec gravité son couteau de sa poche et le pose à droite
de son assiette après avoir repoussé celui qui s'y trouvait. C'est le couteau suisse rouge, avec une croix, qu'il
a reçu à seize ans, pour son bachot. Depuis, il ne s'en
est jamais séparé! Par endroits, le rouge a passé; à d'autres, au contraire, il a viré au plus foncé, au mauve.
Bizarre, l'âge! Six lames, un tire-bouchon, un poinçon...
et une source de disputes supplémentaires entre grand-
mère et son frère car, même lorsqu'il est invité aux plus
brillants dîners, il lui reste fidèle ce qui la fait rougir.
Moi, j'aime passer mon doigt sur les dix-huit encoches
indiquant ses mois de captivité. J'ai l'impression de toucher sa vie. En restant fidèle à son couteau, Alexis
remercie le destin qui l'a laissé revenir chez lui. Et je
sais quelque chose! Le jour où il égarera son couteau,
cela voudra dire que sa mort ne sera pas loin.

A propos de mort!

« Savez-vous ce que ce pauvre Alexis s'est fourré dans
la tête? demande grand-mère.

— Charlotte! coupe Alexis, ma vie privée n'intéresse
personne.

— Oh! si, supplie maman dont les yeux brillent.

— Il est persuadé qu'on se précipitera sur ses organes quand il sera mort », lâche grand-mère, un éclair de
malice dans la voix.

Alexis se tourne vers papa, l'œil plein de reproche.

« Il ne restait qu'une chose à nous retirer : notre
propre corps. L'erreur est réparée : on va bientôt pouvoir hypothéquer son cœur ou ses reins. Et un jour ses
poumons, pourquoi pas?

— Je ne voudrais pas te faire de peine, mon cher
frère, remarque grand-mère, mais je ne suis pas sûre
qu'il y aura beaucoup d'amateurs pour les tiens.

— Parions que mes poumons supporteraient la comparaison avec ceux de bien des Parisiens, se rebelle oncle Alexis.

— Et si tu nous montrais le revers de ta veste ? » demande Nicole en nous adressant de grands signes marrants.

Oncle Alexis protège sa poitrine des deux mains. Nous apprenons qu'épinglée à sa veste se trouve une petite enveloppe à ouvrir « au cas où ».

« C'est là qu'il a écrit qu'il gardait tout pour lui.

— Ouais ! rugit Cécile, moi je donne tout : poumons, reins, cœur, yeux. Qu'on se le dise !

— Tu verras peut-être les choses différemment quand tu auras mon âge, dit Alexis, et que tu auras compris que les autres ne vous font jamais de cadeaux. »

Papa est le seul à ne pas rire. Je sais qu'il va parler quand il retire ses lunettes et les contemple un moment avant de les poser sur la table.

« Il y a, dit-il, à l'hôpital de Pontoise, une enfant de six ans qui, si elle n'a pas trouvé avant quelques semaines un donneur de rein, est condamnée à mort. Ceci, bien entendu, n'est qu'un cas parmi beaucoup d'autres. »

Alexis à la fois se renfrogne et, je le sens au regard qu'il lance à sa sœur, apprécie. Papa n'a pas dit qu'il était trop vieux pour servir. C'est chouette de sa part.

Henriette, qui vient de poser le rôti sur la table, se plante près de grand-mère.

« Moi, je demande qu'une chose à Madame ! Etre enterrée chaudement : mes bas gris, mes chaussons, des gants et mon manteau de tous les jours. J'ai eu trop froid dans ma vie. Je peux pas me penser en chemise de nuit dans mon cercueil. »

Grand-mère échange un regard entendu avec Nicole : cette pauvre Henriette, ça ne s'arrange pas !

« Mais oui, dit-elle, apaisante, ton manteau et tes bas.

Pour les gants, ça sera plutôt des moufles, c'est plus pratique à enfiler. Ne te tourmente pas : j'y veillerai personnellement. »

Rassérénée, Henriette accepte d'aller chercher la purée gratinée. Bien qu'elle ait cinq ans de moins que grand-mère, celle-ci a fini par la convaincre qu'elle lui survivrait. Une sorte de droit.

« Dans mon idée, fait remarquer Cécile, à moins d'aller directement au ciel, ce qui doit être plutôt rare, on risquerait plutôt d'avoir trop chaud, là-haut. »

Nous rions tous. Pas Claire. Je surprends le regard de Nicole, attentif, sur elle. Je sens qu'elle s'interroge. Ce n'est pas que Claire parle moins que d'habitude mais son silence est différent. Il n'est plus celui de quelqu'un qui survole la conversation en rêvant monts et merveilles, mais celui de quelqu'un qui se terre.

Je regarde ailleurs. Derrière le carreau, le ciel posé sur le jardin, lourd de neige. A *La Marette*, ce matin, il pleuvait. Cela a commencé tout de suite après minuit. « Dégueulasse »... J'étais étendue sur mon lit et j'écoutais couler avec l'eau le mot que Claire m'avait lancé. « Dégueulasse »? Je ne sais pas. Je ne sais plus. Tout d'un coup, je n'ai plus pu supporter l'idée qu'Antoine puisse souffrir sans savoir; qu'il puisse aimer ma sœur pour rien. Alors j'ai couru là-bas. Je ne voulais pas les séparer, non. Mais je voulais le voir, lui parler, être bien près de lui et, au fond, je prévoyais peut-être qu'en lui disant tout, je coulais Claire. Alors ?

Ils parlent de la vie, ici. Montbard s'agrandit. Il y a deux nouveaux cinémas. Un centre de rééducation pour jeunes délinquants s'est ouvert, pas loin. Des gens ont protesté. Ils avaient peur.

Ils parlent de la messe de minuit à laquelle grand-mère a décidé d'assister, demain. Mais l'église est à peine chauffée. Est-ce raisonnable ? Alors j'entends mon père déclarer calmement qu'il y mènera lui-même sa belle-mère préférée. Oh! le regard de grand-mère. Et il se déchaîne! C'est peut-être le Pommard qu'oncle Alexis a remonté de la cave pour fêter notre arrivée. « Il y a, dit Charles, deux âges pour faire des bêtises, la jeunesse parce qu'on a tout le temps devant soi; la vieillesse parce qu'il n'en reste plus des tas. » Et au diable la raison! Certaines bêtises conservent.

Oncle Alexis reste bouche bée. Nicole exulte.

Je sais, moi, ce que papa voit quand il regarde ainsi, au loin, par-delà le mur recouvert de toile de Jouy ornée de balançoires, de jardins et de belles jeunes filles; il voit tous ces vieux à l'hôpital, enterrés vifs, qui crient qu'ils aimeraient mieux mourir pour entendre quelqu'un les supplier de rester.

« Ce que je ne voulais pas manquer, explique grand-mère avec quelque chose dans la gorge, c'est la crèche vivante. Il y aura un vrai agneau, un vrai Jésus. J'avais proposé Claire pour faire la Sainte-Vierge, mais ils ont préféré prendre une fille du pays! »

Décidément!

Au moment du café, maman a si bien manœuvré qu'Alexis accepte d'ouvrir pour elle la fameuse enveloppe. Après avoir indiqué avec des pleins et des déliés qu'il veut conserver ses organes et souligné les plus précieux, il demande à être incinéré.

Mais là, personne n'aurait l'idée de se moquer. Incinéré? Dans la famille, nous avons d'excellentes raisons pour cela!

CHAPITRE XX

L'ENFANT DE LA MORTE

Lorsqu'un matin on retrouva l'arrière-grand-mère de grand-mère morte dans son lit, ce fut chez ses deux enfants et son mari un très grand désespoir. Elle était encore jeune, en bonne santé, et rien n'avait laissé supposer qu'elle pût s'en aller de cette façon, si l'on peut dire : sans avertir, sans avoir été munie des sacrements de l'Eglise et, vu son âge, insuffisamment pourvue de ces jours gagnés sur le purgatoire que l'on obtenait alors en récitant des prières et faisant dire des messes.

Tous les environs assistaient à l'office religieux qui fut des plus émouvants, paraît-il car cette femme était aimée et que chacun réalisait ce qui lui pendait au nez — je raconte comme grand-mère. Après quoi, il fallut bien se résigner à l'inhumer dans le caveau de famille.

A l'époque, plusieurs serviteurs étaient chargés de l'entretien de la maison. Parmi eux, un nouveau venu, peu scrupuleux, eut l'idée de s'emparer de l'alliance, fort belle, que le mari de la morte avait tenu à laisser au doigt de son épouse puisque pour ceux qui se sont réellement aimés la mort ne change rien.

La nuit venue, ce serviteur s'introduisit dans le

caveau et parvint à ouvrir le cercueil. Notre grand-mère était là, un peu blanche sûrement; toujours belle. Mais voilà que l'alliance se refusait à glisser du doigt. Ne voyant d'autre solution, le domestique sortit son couteau et trancha. Ce fut alors que, tirée par ce geste de l'état de léthargie qui avait fait, à tort, croire à sa mort, l'arrière-grand-mère de grand-mère se dressa sur son séant, terrorisant le malheureux qui s'enfuit, abandonnant sa lanterne. « Il court encore », affirme-t-on dans la famille.

Parfaitement éveillée, en possession, paraît-il, de toutes ses facultés, notre aïeule ramassa la lanterne et, revêtue de son linceul, reprit le chemin de sa maison et vint sonner à la porte. Ce fut son mari qui lui ouvrit et la surprise fut telle qu'il s'en fallut de peu qu'il n'allât prendre la place toute fraîche dans le caveau. Je raconte toujours comme grand-mère !

Remis de ses émotions, il lui fit un enfant : la grand-mère de grand-mère. On l'appela : « L'enfant de la morte. »

Voilà pourquoi, d'un caractère méfiant et peu enclin à prendre des risques, l'oncle Alexis a indiqué sur la feuille épinglée au revers de sa veste qu'il désirait que soient réduits en cendres, religieusement, lui et ses chers organes.

Le portrait de cette aïeule se trouve dans le grand salon. Elle est âgée mais belle encore. Ses mains sont croisées sur sa jupe, sa main droite cachant celle au doigt coupé. Elle regarde son mari placé à côté d'elle dans un cadre semblable. Son visage est celui de quelqu'un qui connaît un secret.

Je pense à ce sourire en contemplant Montbard du parc Buffon où je suis montée après le déjeuner. Je pense à la main mutilée cachée sous l'autre main. Je frissonne. Me voilà mûre pour les fantômes ! Mais il y a souvent comme un halo tremblant autour de la ville et, montant des toits et des champs, on dirait une rumeur, quelque chose de sourd mêlé au vent, au feuillage l'été, aux odeurs. Cela vient-il de ce qu'a connu cet endroit ? Montbard était célèbre autrefois. Puis la peste, le pillage, les sièges. Ce n'est plus qu'une ville comme les autres qui s'offre deux cinémas de plus et reçoit un écrivain célèbre. Est-il possible qu'il ne reste rien de tous les cris passés ? De tous ces râles ?

J'ai parfois l'impression que certains murs les répètent, étouffés. Ce sont eux qui me font tourner la tête et désirer vivre plus fort, ou autrement. Et voilà que moi, Pauline Moreau, dix-huit ans, je suis là à mon tour : mes yeux ne sont pas différents de tous ceux qui sont montés ici comme moi pour embrasser d'un seul regard cette colline de tuiles, ce ruban d'eau, ces champs, ce ciel et me dire que je suis chez moi.

Je me suis installée à ma place favorite, au pied de la tour de l'Aubespin à laquelle j'appuie ma tête. Elle m'a longtemps fait peur, cette tour, avec ses pierres toujours humides et ses ouvertures si minces. J'y voyais des gens enfermés.

J'ai apporté de quoi écrire : une lettre à Claire. Je la déposerai sur son oreiller. Je lui dirai...

Je ferme les yeux. Quand je me souviens d'Antoine, c'est dans l'encadrement de la porte, les deux bras écartés comme s'il voulait faire tomber sa maison sur lui. Quand je me souviens de lui, c'est lorsqu'il a lancé la couverture sur mes jambes et que soudain je me suis sentie bien. Et s'il avait voulu m'embrasser ? Me prendre dans ses bras ?

Je froisse le papier. Quoi que j'écrive à Claire, je mentirai. Tout est gâché soudain. Trop compliqué. Cela allait si bien pourtant, tout à l'heure, quand l'arbre de Noël m'est apparu, grand-mère à côté qui ressemblait à un cadeau de plus. Cela paraissait si simple tout à coup. Et voilà ! Brouillard complet. Ça ne sert à rien la philo !

Platon, Machiavel, Bergson. « Peut-on se connaître soi-même ? » C'est non !

Et si je partais sans rien dire ? Comme ça. Devant moi ! Tout de suite quelque chose bouche ma gorge. C'est de les imaginer me cherchant, m'appelant en vain. C'est d'imaginer Claire. Elle, elle saura pourquoi ! Je vois leur visage angoissé. Je les entends : « On n'aurait jamais pensé... Que lui est-il arrivé ? »

Il ne m'est rien arrivé, justement. Rien ! Je rouvre les yeux. En plus, la pierre que j'ai choisie pour m'asseoir est mouillée. Je sens l'humidité attaquer mon pantalon. Je le sais bien que je ne partirai pas ! Je vais rentrer comme une bonne petite fille, rajouter une bûche et me faire sécher devant le feu. Voilà.

Je lève les yeux pour chercher du secours, chercher à oublier que j'ai dix-huit ans et ne sais pas qui je suis, et c'est alors que je remarque l'homme.

Il est assis sur un banc de pierre, à une dizaine de mètres de moi. Il vient certainement d'arriver puisqu'il n'était pas là quand je me suis installée. On n'entend rien avec cette neige partout.

Trente, trente-cinq ans. Je ne sais pas bien. Brun. Grand apparemment. Une sorte de pelisse qui lui descend jusqu'aux pieds, style manteau de cow-boy.

Il me regarde sans se gêner, bien en face, et quand nos regards se croisent ce n'est pas lui qui détourne le sien.

Je me replonge dans mon cahier. Quelque chose, soudain, tourne dans ma tête. La peur ? J'ai peut-être l'esprit mal tourné mais je suis sûre qu'il s'agit d'un exhibitionniste. Ou un fou. Les deux sans doute. Il va s'approcher, ouvrir sa cape et me faire tout admirer. Venir à Montbard pour ça, chapeau !

Il ne me lâche pas des yeux, comme pour me dire que j'ai raison. Mon cœur bat. Il y a une minute à peine, j'étais prête à affronter le monde, me voilà paralysée.

Qu'est-ce qu'il attend ? Nous sommes seuls. Personne n'a eu l'idée saugrenue de venir, par zéro degré, admirer un paysage transi de froid, qui ne bouge pas, ne vibre pas, qui est l'indifférence même.

Je décapuchonne mon stylo et commence à écrire, n'importe quoi. Il verra que je suis occupée, que je n'ai pas peur. Il s'en ira chercher ailleurs. Je pourrai, moi aussi, m'en aller. Mais il y a un écueil. Je suis obligée de passer devant lui ! Pas d'autre chemin. Et avant de rejoindre la route, un peu plus passante, qui ramène à la maison, il y en a pour un bon quart d'heure de marche dans le désert complet. Largement le temps d'être maîtrisée et violée. Il me tient !

En tout cas, pour le viol, ce ne sont pas les conseils qui manquent. On n'a parlé que de ça, tout l'hiver, dans les journaux ! A donner des idées à ceux qui n'y pensaient pas. L'autre jour, il y avait le récit d'un type qui en avait violé quatre d'affilée sous la menace d'un couteau. Entre parenthèses, je me demande comment il pouvait tout faire à la fois.

Il paraît que la solution la plus sage est de se laisser faire. Charmant !

Je lève légèrement la tête et constate que le coupable s'est tourné vers le paysage. Mon cœur bat. C'est le moment ! Debout !

Mes jambes sont en carton. Je n'ai pas fait trois pas qu'il se retourne et ça recommence, sauf que je suis peut-être en train de marcher vers la mort d'une partie de moi-même, comme on dit encore dans la presse.

Trop tard pour changer d'avis. J'y suis. Et, au moment où je passe devant lui, il tend le doigt vers la tour et il dit :

« Je crois que vous avez perdu votre gant ! »

Machinalement, je me retourne et, en effet, rouge sur blanc, crevant les yeux, je vois mon gant droit puisque dans le gauche, ma main y est. Je murmure « merci bien » et, comme une automate, je rebrousse chemin. Sa voix a tout changé. Pas du tout la voix d'un exhibitionniste et son visage est plutôt beau, bien que très sombre, les yeux surtout.

Je ramasse le gant et je l'enfile. Je me vois exécuter chaque geste. Je passe à nouveau près de lui.

« Savez-vous quel jour nous sommes ? demande-t-il.

— La veille de Noël. »

Il soupire drôlement.

« C'est bien ce que je craignais. »

Il le savait ! Evidemment. Je suis tombée dans le piège. Et comme je m'éloigne, il supplie : « Attendez ! »

Je m'arrête. Je me sens comme prisonnière de ce que j'ai pensé de lui. Il désigne mon cahier.

« Des poèmes ? »

Je ne sais que répondre. Je serre mon cahier contre moi. Son regard fait le tour du parc. Il a un petit sourire.

« Une tour en ruine, une neige vierge, Noël dans l'air, voilà un matériau idéal pour une jeune fille. »

Ça, je déteste ! Ce ton indulgent, supérieur, qui me rappelle Béa à ses mauvais moments ; quand elle essaie de casser votre joie.

J'entends ma voix comme celle d'une autre :

« Maintenant, les gens chantent les égouts, la guerre et les fonds de poubelle ! Si, pour parler de ce qui est beau il n'y a plus que les jeunes filles, eh, bien... eh bien... je regrette que vous n'en soyez pas une ! »

Ce n'était sûrement pas très adroit ; surtout pour la jeune fille. Mais ça le cloue, c'est l'essentiel. Plus de question ? Je m'éloigne. Dignement. Un exhibitionniste ? Même pas ! Un snob ! Très à la mode de se moquer de ce qui est beau, de parler en ricanant de l'émotion qu'on peut éprouver dans la neige, sous une tour, devant une ville qui vous a regardé partir, doucement, été après été, vacances après vacances, vers quelque chose qui ne serait pas elle. Une ville avec des toits qu'on n'arrivait jamais à compter, des rues où l'on avait peur de se perdre, son parc Buffon plein de fantômes et d'odeurs d'enfance. Tant pis pour lui si ça le laisse froid. Mais alors, qu'il me dise pourquoi il est monté là ? Près de cette tour, au-dessus de cette ville. Pour constater qu'il ne vibrait plus ?

Tiens ! J'aurais dû le lui demander. Je me sens en colère. C'est bon. C'est chaud. Ça remplit. En colère contre lui, contre moi qui décidément, majeure ou non, philo ou non, continue à me raconter des histoires qui n'ont rien à voir avec la vie au lieu d'essayer de débrouiller celles qui m'arrivent vraiment.

Au bout du chemin, je me retourne. Toujours sur son mur, le snob. Mais il ne me regarde plus. Oubliée, la petite aux poèmes. Tant pis ! Elle s'en fout.

Voilà l'église où nous irons à la messe de minuit, le chemin tant souhaité il y a un instant, la maison que les touristes photographient l'été, les jardins et, plus bas, le bruit des voitures lançant la neige au bas des murs. Voilà le bon vieux quotidien en attente sous l'hiver. Mes souliers sont trempés, je ne sens plus mes doigts de pied. Vite, la maison, le feu, grand-mère !

Pourquoi a-t-il dit : « C'est bien ce que je craignais », quand je lui ai répondu pour Noël. Pour faire un bon mot ? Ça m'étonnerait pas. Mais à force de faire des bons mots, des tristes mots, sur ce qui est émouvant, les adultes finissent par tout enterrer !

En claquant la porte de la grille, j'ai la sensation agréable de la claquer au nez de cet inconnu prétentieux. Devant la maison, c'est formidable ! La voiture d'oncle Adrien est déjà là, ouverte de partout et ces hurlements, c'est Cécile à cent à l'heure sur la pelouse, poursuivie par Gaston qui hurle : « A moi ! A moi ! »

La luge, c'est le couvercle en plastique des cabinets.

Blanc sur blanc, on a l'impression qu'elle glisse sur son derrière; ça fait un drôle d'effet. En tout cas, le vœu de grand-mère a été exaucé : la famille est arrivée entière.

Il paraît qu'oncle Adrien a apporté trois bocaux d'escargots mis en conserve par ses soins. Henriette a menacé de rendre son tablier, ses tabliers, si on les faisait, comme il le souhaitait, pour le déjeuner de Noël. Les escargots, elle n'a rien contre, mais pas le jour de la naissance du Christ, quand même! D'autant qu'ils viennent certainement d'un cimetière, lieu de chasse favori de notre oncle. On ne mange pas son prochain un 25 décembre. On attend le 1er janvier!

CHAPITRE XXI

LA « CLOCHE À ORAGES »

ADRIEN, donc! Deux ans de plus que maman, l'aîné de la famille, champion de billard Nicolas parce qu'il fait tellement rire tout le monde qu'on n'a plus la force de presser la poirette. Il dit volontiers de lui qu'il est un homme des forêts. Il vous trouve un cèpe à vingt mètres, rien qu'au nez. Chasseur, poseur de collets, dévastateur de baies, il ne se promène jamais que la gibecière en bandoulière et quand il l'œuvre, quels parfums!

Il dit aussi qu'à notre époque, si l'on veut profiter un peu de l'existence, on est obligé de tricher parce que tout est pris dans des règlements et adieu la fantaisie, l'impromptu, le sel de la vie.

Selon tante Philippa, il fait trop tout! Il rit trop, fume trop, boit trop, mange trop, joue trop aux cartes, aux dés, aux courses. Il sort de chez lui le matin, court chez son voisin et parie une bière bien tassée qu'avant dix minutes il passera quatre voitures rouges et les voilà à la fenêtre, comptant les véhicules. La bière est bue de toute façon.

Le mariage d'oncle Adrien et de tante Philippa, s'est vite révélé être une erreur complète. On n'accouple pas un friand de cuissot de marcassin, et bien faisandé s'il vous plaît, avec une fervente de soja et germe de blé. On n'assemble pas un gaillard qui a besoin de renifler les gens, les palper, à une femme qui exige d'être vouvoyée par ses enfants.

Oncle Adrien a compris tout de suite, paraît-il, qu'un amour fugitif l'avait aveuglé, mais, profondément catholique, il n'a jamais envisagé, comme l'auraient fait tant d'autres, de laisser tomber sa femme. Alors, il en a pris son parti. Il la laisse rouspéter, pleurnicher, lui passer l'aspirateur sous les pieds; et quand il en a vraiment assez, il la regarde droit dans les yeux, et, très sérieusement, très dignement, il dit : « Philippa, décidément, vous n'êtes qu'une emmerdeuse! » Grand-mère adore ça!

Gaston est le portrait d'Adrien. C'est un petit boulot qui aime à se laisser vivre. Il s'est toujours bien entendu avec Cécile, qui pourtant lui en fait voir de toutes les couleurs. Il croit dur comme fer à la supériorité de la femme et s'en félicite. Plus tard, il souhaiterait rester à la maison, élever ses enfants et faire des frites.

Ce 24 décembre, j'ai été la première à descendre pour le petit déjeuner. Le jour était comme une hésitation. Entre joie et peine. Cela m'a fait penser, je ne sais pourquoi puisque je ne l'ai pas connue, à un matin de guerre.

Henriette avait allumé son fourneau et elle préparait le petit déjeuner de grand-mère. Elle n'avait pas encore transformé sa longue natte blanche en chignon et elle m'a semblé terriblement vieille. J'ai pensé à son vœu : fleurs des champs sur sa tombe. Parfois, on a du mal à imaginer que les personnes très laides puissent apprécier la beauté et c'est une injustice de plus!

C'est moi qui ai monté le plateau. Grand-mère n'avait pas encore allumé mais elle était réveillée. J'ai vu dans l'obscurité sa tête se tourner vers moi. Chaque soir et chaque matin grand-mère fait des rêves volontaires. Son préféré, c'est celui où elle est tireur d'élite. Elle envoie au ciel, munis de tous les sacrements, les bourreaux d'enfants, les preneurs d'otages et les éditeurs de revues porno, tous ceux qui s'attaquent à des innocents.

J'ai ouvert les rideaux et l'hiver s'est glissé dans la chambre. Il l'a prise tout entière. Grand-mère avait l'air contente de me voir.

« Il pourrait bien encore neiger, a-t-elle remarqué en se redressant pour voir. Prends garde à te couvrir convenablement pour la messe de minuit. »

Elle se le disait à elle aussi. Elle se préparait à ce bonheur. Je me suis assise sur son lit et je l'ai regardée beurrer ses biscottes. C'est toujours par là qu'elle commence; ensuite, le sucre dans la tasse, le lait, le thé bien fort. Aussi fort que possible puisqu'on la prive de café, ce qu'elle n'apprécie pas.

En la voyant si tranquille j'avais de la peine pour elle à cause de Claire. Mais j'avais hâte aussi qu'on en finisse.

Elle a remarqué : « J'ai trouvé ta mère fatiguée ! »

J'ai vite répondu : « Ce n'est rien. Le trimestre. »

J'ai bien vu qu'elle n'en pensait pas moins. Je lui ai su gré de ne pas insister. Du coup, j'avais envie de tout lui raconter, même Antoine. Mais j'avais fait assez de dégâts comme ça.

J'ai demandé : « Est-ce que tu te souviens de tes dix-huit ans ? »

Elle a eu un sourire ému.

« Cela va peut-être te paraître drôle, mais ils sont là. On ne s'en éloigne jamais vraiment, tu sais. Ce qui est triste, ce n'est pas de vieillir, c'est de rester jeune, sous la carcasse. De rester jeune et que les autres ne s'en aperçoivent plus.

— Mais c'était comment quand tu avais mon âge ? »

161

Elle a posé sa tasse pour réfléchir. Elle s'est essuyé les lèvres. Elle essuie toujours sa bouche avant de parler.

« C'était changeant! Un jour en haut, un jour en bas. J'enviais beaucoup Alexis. Il me semblait qu'il avait tous les droits. J'aurais voulu faire tant de choses, moi. Sans savoir exactement quoi, d'ailleurs. De toute façon, dix-huit ans, ce n'est jamais très facile. »

J'ai répondu : « Je sais. » Je me suis levée pour cacher mon émotion et j'ai fait un tour de chambre.

Grand-mère a beaucoup d'objets-souvenir. Chaque année, elle les change de place pour qu'ils vivent d'une autre façon et afin de les découvrir à nouveau. La cheminée reste réservée aux photos : son mari, ses quatre enfants. J'ai regardé spécialement le portrait de Claire, la petite sœur de grand-mère, morte à vingt ans. J'ai essayé une fois de plus de lire si, d'une façon ou d'une autre, sa mort était inscrite sur son visage. La mort, c'est comme l'amour, paraît-il, on ne prévoit jamais le jour de la rencontre. Elle avait l'air d'une jeune fille heureuse, c'est tout. Une jeune fille qui avait envie de faire tant de choses : « sans savoir exactement quoi d'ailleurs... »

La petite « cloche à orage » était à sa place sur la commode. C'est une cloche bénite que les ancêtres de grand-mère agitaient pour éloigner la foudre.

Je l'ai prise et, mine de rien, je l'ai fait tinter. Quand je suis revenue près de grand-mère, elle souriait :

« Qui viens-tu de chasser? »

Il m'a semblé qu'elle avait tout compris.

Nous nous sommes bourrés de tartines et de miel au petit déjeuner sous l'œil réprobateur de tante Philippa qui respectait son régime : thé, œuf coque, jus de fruit, biscotte. Elle ne fait pas cela pour maigrir c'est un os, mais pour vivre sainement. A sa santé! J'ai repris exprès une tasse de chocolat ras bord pour la faire souffrir.

Le soleil se levait et c'était ravissant dans le blanc, timide, inattendu : une caresse du dos de la main. Papa a demandé s'il y avait des amateurs pour aller à Saulieu voir le fameux « baiser de vouivres ».

La vouivre est un serpent avec griffes et ailes qui porte une escarboucle au milieu du front. Cette pierre magique, à la fois la dirige dans l'obscurité et la trahit. Car la vouivre garde les trésors des châteaux bourguignons.

Le baiser dont parlait papa se donnait sur un des chapiteaux de la basilique Saint-Antoche. Nous y faisons un pèlerinage tous les ans.

Cécile, qui a un faible pour les reptiles, s'est aussitôt portée volontaire. Moi aussi. Gaston a enchaîné à cause de la pâtisserie qui se trouve à côté de la basilique et où l'on trouve des cassissines, bonbons au cassis dont il fait une grosse consommation. Nicole avait vu cent cinquante fois le baiser en question et devait rencontrer son fameux écrivain pour organiser la journée du foyer Vermeil.

Quand tante Philippa a demandé à nous accompagner, cela a jeté un froid. Papa a eu de la peine à réprimer une grimace : c'était parti pour, au cours du trajet, la consultation gratuite sur les hémorroïdes — elle en a des tas — ou les aphtes : même chose!

Oncle Adrien a déclaré qu'il avait du bois à couper pour grand-mère et n'aimait les serpents qu'en bouillon avec frottis d'ail et cuillerée de crème fraîche.

Disons tout de suite que la visite s'est passée au plus mal. Tandis que Charles l'érudit s'extasiait sur les beautés de l'art roman, Cécile et Gaston faisaient un concours de crachats, à qui atteindrait la fontaine du XVIIIe siècle située en face de la basilique. Un peu plus tard, alors que papa, voulant regagner son auditoire par un récit piquant, expliquait que la vouivre dont on admirait le baiser sur le chapiteau tranchait, lors de l'accouplement, la tête du mâle avec ses dents, la Poison a commencé à fixer tante Philippa d'une telle façon que celle-ci a très bien compris à qui elle était comparée. Elle a mis sous son bras sa canne pliante qui, heureusement pour Cécile, n'était pas une canne-épée et est allée s'enfermer dans la voiture qui, joie supplémentaire, était agrémentée d'une contravention.

Il n'y a pas eu de cassissines.

Quand nous sommes rentrés, les paquets étaient autour du sapin : un pour chacun. Les enveloppes de couleur suspendues aux branches renfermaient le billet que nous offre grand-mère depuis qu'elle ne peut plus faire ses courses elle-même.

Je me suis approchée. Ma joie était comme posée à côté de moi. Je la reconnaissais : c'était celle de l'an dernier, celle des autres noëls aussi, même très lointains; mais j'avais l'impression de ne pas pouvoir la saisir vraiment et mon sourire en regardant le bonheur de Cécile était un sourire de carton. J'ai eu peur que ce soit cela : devenir adulte.

Nous avons eu un déjeuner froid, Henriette étant très occupée par le réveillon. Mais, même froid, c'était bon. Claire n'y a pas assisté, prétextant une migraine. Tante Philippa a dit qu'elle s'écoutait : « C'est une grande connaisseuse qui porte ce jugement », a répliqué Adrien. Grand-mère s'est visiblement retenue d'applaudir.

J'ai interrogé Nicole sur Démogée.

« Il est exactement comme on le décrit dans la presse, a-t-elle dit. Un ours pas commode du tout. Et quand il vous regarde, on a l'impression qu'il voit en vous ce que vous vous cachez à vous-même. »

Il avait déjà une œuvre derrière lui et on avait même

prononcé son nom pour l'Académie française. S'il était élu, ce serait, de loin, le plus jeune académicien de tous les temps.

« Il a quel âge?

— Trente-trois ans. »

J'ai déploré qu'il n'y ait aucune femme à l'Académie. Tout le monde a ri. Ils verront!

Après le café, grand-mère a fait signe à maman de la suivre dans sa chambre. Lorsqu'elles ont été sorties, maman derrière, mal à l'aise, un peu comme une enfant, nous nous sommes regardées, Cécile, papa et moi. Pas de doute. L'heure de la vérité avait sonné! Grand-mère allait interroger maman et maman ne saurait pas résister.

L'entretien a duré longtemps. Cécile et Gaston avaient disparu dans le grenier; les autres lisaient. Je n'en pouvais plus d'attendre. Je suis descendue dans la cuisine demander asile à Henriette. Je craignais qu'elle n'ait pas besoin de moi mais, tout de suite, elle m'a demandé de lui désenfiler ses girolles.

Il y en avait trois longs chapelets sur la table, cueillis par Nicole en septembre dernier dans les bois de Saint-Rémy. Il y avait aussi un dôme de pâte sous une serviette, de la crème et de l'ail.

Quand j'ai eu terminé avec les girolles, j'ai épluché l'ail. Je travaillais lentement, en pensant à ce que je faisais. Pour Henriette, aucun geste n'est indifférent : chacun a une portée que l'on ne connaît pas. Le moment, par exemple, où l'on cueille une salade, la façon dont on l'épluche, celle dont on arrose un poulet, tout cela compte énormément. Nous ne parlions pas mais je sentais que nous nous comprenions. J'aurais voulu avoir du travail jusqu'au soir.

Souvent, je tendais l'oreille. J'avais vraiment peur pour grand-mère. Peur de l'entendre crier. On l'a, en effet, entendue crier dans l'escalier pour demander qu'on lui monte tout de suite une double infusion thym-bleuet, « pour ses nerfs » a grommelé Henriette.

Je l'ai laissée y aller. Il était déjà quatre heures et il n'y en avait plus que pour un petit moment de jour. Je me suis bien couverte et j'ai repris le chemin de Parc-Buffon. Je ne vois pas pourquoi j'aurais renoncé à ma promenade favorite à cause d'un snob qui s'était trouvé là hier, par hasard, et que je ne reverrais jamais.

La neige s'était transformée en boue, sauf quelques plaques très décevantes quand on en prenait dans la main, un blanc mité et granuleux.

Il y avait toute une agitation du côté de l'église et, à nouveau, j'ai senti venir Noël. L'agneau de la crèche était peut-être déjà arrivé.

J'ai ralenti un peu avant la tour. Tout était aigu : cette fête si près, grand-mère qui savait maintenant et moi ici. J'ai eu quelques minutes intenses, comme si l'aventure m'attendait.

On dit que, démeublée, une chambre paraît plus grande. Le parc, au contraire, avec ses arbres sans feuilles, m'a semblé très petit.

L'homme était là.

CHAPITRE XXII

LE JEU DES LUMIÈRES

Toute la vie, on m'a répété qu'il ne fallait en aucun cas se laisser aborder par un inconnu. Piqûres sournoises et anesthésiantes, enlèvements, traite des blanches... A Paris, je n'aurais jamais l'idée de répondre à ceux qui, dans la rue ou le métro, me sifflent, m'évaluent, me draguent. D'abord, ils me répugnent. Ils m'écœurent. Dans leur regard, je me sens devenir vide, anonyme, une enveloppe. Ils me font redouter l'amour.

A Montbard, ça a toujours été différent. Quand j'étais petite, on m'apprenait qu'il fallait dire bonjour à tout le monde. Nous descendions au village : bonjour ! Nous allions aux champignons avec, au bras, ces paniers qu'on ne remplit jamais, les paniers de l'espoir : bonjour ! Et surtout pas « bonne chance » à cause des esprits malicieux qui hantent les forêts. Nous prenions le train : bonjour encore. Bon voyage ! Revenez vite ! Il faut dire que grand-mère connaissait tout le monde.

Cet inconnu m'a dit « bonjour » et j'ai répondu avec un sourire. Il n'avait pas l'air étonné de me voir. Moi, j'avais l'impression qu'il avait dormi là : même pelisse, même position, même place.

Il a regardé sa montre : « Vous êtes en retard ! » J'ai dû avoir l'air étonnée. Il a ri.

« Je veux dire, par rapport à hier !

— Comment saviez-vous que je reviendrais ? »

Il a montré la tour, ma pierre au pied.

« A cause de l'endroit que vous aviez choisi. C'était le mien il y a vingt ans : la meilleure place. Seuls les habitués la découvrent : les très habitués. »

Il y a vingt ans, je n'étais pas née, je ne pouvais donc pas vérifier mais je me suis sentie flattée comme s'il m'avait fait un compliment. C'était stupide. J'ai vite demandé : « Vous êtes d'ici ?

— Mes grands-parents habitaient la région autrefois, a-t-il dit. Ma sœur a repris la maison. Mais cela faisait longtemps que je n'étais pas venu. »

Il y avait quelque chose d'un peu forcé dans sa voix, d'un peu trop entrain.

« Et si, pour une fois, vous changiez de place et que vous veniez là ? a-t-il demandé en posant la main sur le mur, à côté de lui. Au moins, vous ne mouilleriez pas votre fond de culotte ! »

Je n'ai plus su que faire de moi. Mon fond de culotte ! Il avait donc remarqué, hier. Comme grand-mère, qui, sitôt rentrée, m'avait envoyée me changer : « Et une jupe, tu me ferais tant plaisir ! »

« Nous compterons les lumières. C'est juste la bonne heure. Vous allez voir ! »

Cela m'a décidée. Compter les lumières. C'était ce que je faisais, enfant. Je venais vers ces heures-là, je prenais dans mon regard chaque point qui s'allumait, chaque maison, chaque vie. Je comptabilisais. Chacune m'apportait un peu plus de bien-être.

Je me suis assise à côté de lui, mais sur le bord du mur, et j'ai commencé à regarder Montbard. Cette ville que je connaissais par cœur m'apparaissait soudain étrangère, comme si le fait que je la contemple avec cet homme l'eût rendue autre, un peu hostile : une amie que l'on va trahir.

« Vous êtes étudiante ?

— Pas encore. Je passe mon bac cette année. »

Cela m'a ramenée à *La Marette*, à avant-hier, Claire, ce gâchis.

« Je n'ai pas envie de parler de ça. C'est les vacances.

— C'est vrai, c'est les vacances ! a-t-il répété. Pour moi aussi d'ailleurs.

— Qu'est-ce que vous faites ? »

Il m'a souri.

« Je travaille chez un éditeur. Ça s'appelle « directeur de collection », je crois.

— Quelle collection ?

— Histoire. Ça marche très bien en ce moment. »

J'ai eu envie de lui dire que j'écrivais. Que je portais en moi cette hâte, ce rendez-vous confus avec moi-même, les autres et tout ce que l'on sent, partout, sans pouvoir jamais le saisir tout à fait.

Il me regardait comme s'il avait entendu les questions que je me posais et attendait que je les formule. Cela m'a troublée. Pour le cacher, je lui ai demandé s'il connaissait Démogée.

« Je connais ses livres ! Lui, il paraît que c'est un mauvais coucheur, un garçon sans manières. »

Le mot « garçon » m'a fait rire. Au cas où il l'ignorerait, je lui ai appris que Démogée avait passé la trentaine et que l'on pensait à lui pour l'Académie.

Il a semblé étonné. Et comment savais-je tout cela ? Alors je lui ai raconté pour le Foyer Vermeil, ma tante Nicole et tout. Elle partageait d'ailleurs son avis pour le mauvais coucheur mais était rudement contente qu'il ait accepté de venir pour cette signature.

Il a eu l'air perplexe.

« C'est curieux... en ce qui me concerne, avoir un livre dédicacé par l'auteur, cela ne me ferait ni chaud ni froid. Et même plutôt froid en fait, comme une fausse rencontre. Et vous?

— Je ne sais pas. Personne ne m'a jamais rien dédicacé. »

Nous avons regardé au loin un moment. Là où une cloche sonnait l'hiver, la campagne vide et Noël. Elle résonnait très loin, elle ne s'enfonçait pas, comme en été, dans toutes sortes d'autres bruits; c'était comme un ralliement.

J'ai respiré profondément. La fraîcheur de l'air m'a piqué le nez.

« A propos de rencontres, a dit l'inconnu, avez-vous remarqué combien les gens, qui passent leur vie à se chercher, à s'espérer, finalement ne se rencontrent presque jamais. On dirait une grande partie de colin-maillard. »

J'avais souvent pensé cela. Je peux même dire que j'y pensais tout le temps. Tous ces êtres, ces vies, ces possibilités. Et soi! J'ai ressenti une chaleur. C'était déjà un réconfort énorme de savoir que d'autres éprouvaient la même chose, même si cela n'ôtait pas le bandeau sur les yeux.

Je le lui ai dit. Il me regardait avec un sourire. C'était la première fois que je voyais son visage éclairé. Je remarquais de petites choses : la ride profonde entre ses sourcils, une cicatrice près de sa tempe!

Il a plongé la main dans sa poche et en a sorti un papier.

« J'ai trouvé ça par terre, après votre départ. »

Je l'ai pris. C'était une feuille de mon cahier.

Il a dit :

« Autrefois, je cachais des messages sous les pierres : quelques lignes pour le vent ou pour le passant inconnu. J'ai pensé que cela pouvait être important et je me suis permis de le lire. »

J'avais seulement marqué « Claire! » J'ai dit : « C'est

ma sœur. J'étais venue ici pour lui écrire une lettre. »

Je me suis tournée à nouveau vers Montbard. Le jour diminuait déjà. On le voyait aux couleurs plus fondues et au trait laiteux de la Brenne entre les maisons.

J'ai fait une boule du papier. Le paysage tremblait devant mes yeux : on peut aussi jouer au colin-maillard avec ceux qu'on aime le plus.

« Dans les parcs, a dit mon voisin, les gens aiment surtout écrire sur les arbres. On se moque d'eux, pourtant c'est beaucoup plus important qu'on ne pense ! »

Je le savais : écrire sur un arbre, cela voulait dire un tas de choses, par exemple qu'on ne voulait pas mourir.

Je lui ai dit cela aussi. Et encore pour revenir à sa partie de colin-maillard, que si on avait les yeux bandés, si on loupait les autres, c'était qu'au fond on était prisonnier de soi-même et, à mon avis, ça il y a pas grand-chose à faire.

Cela me semblait étrange de parler ainsi à un inconnu, presque un passant; je ne savais plus qui avait commencé, comment c'était venu, mais c'était bon.

Bien qu'il ait le visage tourné vers ailleurs, je sentais qu'il écoutait. Ses mains étaient croisées devant lui, d'assez longues mains plutôt belles qui me faisaient penser à des mains de médecin.

Il y a eu un silence. Puis il a désigné un point, parmi les maisons, là-bas.

« Vite ! Regardez ! Cette petite lumière qui vient de s'allumer, la première des premières vous savez ce que c'est ? La lumière d'une chambre d'enfant. D'ailleurs, je vois une petite fille qui met ses souliers dans la cheminée.

— Mais non, ai-je dit. Pas du tout. Elle met ses bottes pour avoir de plus gros cadeaux. »

Une autre lumière s'est allumée plus loin. J'ai tendu le doigt à mon tour.

« Et là! Regardez! C'est la lumière d'une cuisine. Défense d'entrer. Confection ultra-secrète d'une bûche de presque un mètre avec champignons de meringue, nains malicieux et procession d'escargots. »

Il a ri. Et la chasse a commencé! Dans cette maison-là, on mettait le couvert des grandes occasions, dans celle-ci, un vieux couple se tenait la main. Dans cette autre... Nous tournions les yeux de tous côtés, aux aguets. Aucune maison ne s'allumait sans que nous y entrions.

Il s'est exclamé :

« Et là-bas, avez-vous vu? Trois fenêtres à la fois. Rien que ça!

— Là-bas, grande réunion de famille, ai-je dit. Vingt personnes au moins.

— Mais elles ne tiendront jamais autour de la table!

— C'est pour ça qu'il y a un buffet. On a mis des serviettes sur les pâtés, et malgré l'interdiction, les enfants piquent déjà dans les amandes salées. »

Il a mis ses poings en lorgnette devant ses yeux.

« Et que font-elles, d'après vous, ces vingt personnes?

— Elles sont bien, ai-je dit. Enfin... à peu près.

— A peu près seulement? »

J'ai mis, moi aussi, mes poings en lorgnette. C'était un jeu et c'était très sérieux, presque grave.

« Il y en a une qui vient de sortir en claquant la porte. Une jeune. Enfin, une moyenne. Elle avait l'air d'en avoir vraiment assez de la famille. Elle étouffait! Besoin d'air frais!

— Comme ce monsieur tout seul, alors, a-t-il enchaîné en montrant, du côté opposé, une toute petite lumière. Lui, c'était sa femme qui l'étouffait. Il vient de la virer. Et ne croyez pas qu'il soit triste. Sur la table, je pense que vous pouvez voir la grosse boîte de caviar et la tranche de gâteau. »

172

J'ai regardé ça de plus près. J'ai vu aussi le silence et la solitude.

« Il ne l'a pas virée du tout. C'est elle qui est partie. Le caviar, c'est son cadeau d'adieu. Elle l'aimait bien, au fond, mais entre eux, plus rien ne s'arrangeait. L'incompréhension totale !

— Si elle l'aimait, a demandé mon voisin de spectacle, croyez-vous qu'elle serait partie un soir de Noël ? »

J'ai tourné mon regard vers la gauche, près, tout près, là où le gros taillis d'arbres faisait comme un bouquet. Derrière, il y avait nos deux maisons, les terrasses avec leurs puits, Claire ! On ne pouvait pas voir les lumières.

« On peut aimer et se faire mal, ai-je dit. Cela arrive... et même plus souvent qu'on ne croit. »

Maintenant, partout les lumières surgissaient. C'était comme une floraison. Nous disions : « là ! là ! ». Nous n'avions plus le temps de faire le détail, les gens, les vies.

Quand tout Montbard a resplendi avec, çà et là, des escarbilles dans la campagne, quand la Brenne s'est tendue de drap noir entre les lampadaires, il m'a demandé si je ne devais pas rentrer chez moi. Il était dix-huit heures trente. N'allait-on pas s'inquiéter ?

J'ai répondu : « J'espère bien ! Il ne manquerait plus que ça ! Que personne ne s'inquiète pour vous. »

Je me suis levée. J'avais les jambes tout engourdies et mon pantalon était mouillé quand même. Il s'est levé aussi. Il était très grand. Plus que mon père. Plus qu'Antoine.

« Si vous n'êtes pas trop pressée, a-t-il dit, je ferai volontiers quelques pas avec vous. »

Je n'ai compris sa phrase que lorsqu'il a commencé à marcher. Il avait une jambe très raide et une démarche incertaine. Il m'a semblé apercevoir comme une courroie passant sous sa chaussure droite.

Son regard a suivi le mien et comme je me détournais, il a tendu une fois encore la main, mais cette fois plus loin, vers la forêt si sombre que, dans la nuit, elle apparaissait comme un trou.

« J'ai laissé ma jambe droite quelque part par là-bas. Un accident de chasse. J'avais dix-huit ans. A cette époque, j'étais quelque chose comme espoir de natation. Il paraît que j'ai eu beaucoup de chance de ne pas mourir. Si je vous dis que depuis ce sacré jour-là j'avais refusé de revenir à Montbard, vous saurez presque tout de moi. »

CHAPITRE XXIII

UNE CRÈCHE VIVANTE

L'ÉGLISE est pleine. Elle bruit, craque, murmure et surtout, attend. Le grand poêle préhistorique ronfle : un
poêle avec un immense tuyau qui monte et serpente
comme dans les ateliers d'artistes.

C'est une petite église pas très haute, plutôt rustique,
dont on voit le clocher de loin même quand les arbres
ont leurs feuilles. A l'intérieur, un minimum de déco-
ration, quelques statues seulement, des bancs de
bois, un long agenouilloir dur aux genoux et une odeur
de pierre à la fois humide et chaude, comme une pensée.

Nous sommes arrivés en avance pour être bien placés
et nous occupons deux rangées. Comme promis à
grand-mère, Charles est venu. La crèche est à gauche de
l'autel, éclairée par un projecteur qui fait briller la
paille. A genoux, en longue robe bleue, comme de bal,
mais le décolleté caché par un châle, Marie : la Sainte
Vierge. Claire aurait mieux fait l'affaire; elle n'a pas les
cheveux décolorés, elle, et elle porte des robes moins
moulées. Il faut dire qu'elle n'en a pas tant à montrer !
En temps ordinaire, du moins.

Devant Marie, dans un couffin enfoui dans la paille,

l'enfant Jésus. Il dort avec un léger bruit de bulles. Pas de Joseph en vue mais Marie l'attend car elle a l'air inquiet et, à chaque fois que la porte s'ouvre avec son grincement, elle se penche pour voir qui c'est.

Le berger est là avec son mouton qu'il tient attaché : un jeunot tout blanc et qui a dû avoir droit à un shampooing. Il regarde autour de lui avec ses beaux yeux jaunes en amande et, de temps en temps, se plaint tristement comme tous les moutons.

Tante Philippa respire dans son mouchoir. C'est bien elle! Comme si un mouton pouvait sentir autre chose que la laine, la paille chaude, la bonne herbe. A moins qu'elle n'ait peur d'attraper un microbe. On attend les rois mages pour plus tard.

Il paraît qu'autrefois, dans cette église, hommes et femmes étaient séparés à cause de la distraction et maman m'a dit qu'elle n'y entrait jamais que la tête couverte. C'est terminé, sauf pour grand-mère qui a coiffé un si grand chapeau que Gaston, derrière, doit se dévisser le cou pour voir quelque chose.

Perdue dans un manteau de fourrure qui doit avoir cent ans, grand-mère est assise entre papa et Claire. Papa, au cas où ça n'irait pas, Claire, parce que depuis tout à l'heure notre aïeule l'a annexée.

Cela a commencé au salon, où nous avons tous bu un grand bol de bouillon avant de quitter la maison. En rentrant du parc Buffon, j'avais eu peur de trouver grand-mère changée, par ce que lui avait annoncé maman; peur que son regard ne soit plus tout à fait le même; mais pas du tout. Elle souriait dans son fauteuil; en vêtement de fête : jupe grise et corsage de soie agrémenté d'un gros nœud pour cacher les désastres du cou. Elle a demandé à la Princesse de lui servir son bouillon et quand il s'est agi de descendre l'escalier, très glissant, c'est son bras qu'elle a réclamé.

J'ai vu le regard que Claire lui lançait, puis à maman.

Claire sait que grand-mère sait. On se demandait laquelle soutenait l'autre.

Grand-mère prie. Il y a des gens qui ne prient que dans leur tête, elle, elle y met les lèvres, les yeux et son buste tendu en avant. Je regarde comme elle le Christ, au-dessus de l'autel. Pour moi, prier, c'est parler à quelqu'un dont je ne suis pas certaine qu'il soit là mais j'aimerais tant! Cela simplifierait tout. Cela ferait au moins quelqu'un qui, bandeau ou non, vous verrait telle qu'on est. « Mon Dieu, je vous en prie, existez! »

En attendant, voilà Joseph! Saint Joseph dans sa robe de charpentier : sorte de toile de sac attachée à la taille par une corde. Ça fait bizarre, à côté de la robe de bal de Marie et c'est dommage que ses baskets soient si visibles.

« C'est le fils Quidor, me souffle Nicole. L'abbé Gosier l'a enrôlé de force... pour s'assurer qu'il assisterait au moins à une messe dans l'année! Quidor protestait en disant qu'il était un trop grand pécheur. « Ça n'en fera que plus plaisir à Dieu de te voir « là », a dit l'abbé » et si tu crois que Joseph était sans « tache! »

Et voilà le malheureux, écarlate, à genoux près de Marie, guignant l'assistance du coin de l'œil en mastiquant furieusement son chewing-gum. Marie ne cesse de remonter son châle qui glisse sur ses épaules et révèle un splendide décolleté. Musique et chants. Entrée solennelle de l'abbé Gosier, précédé des enfants de chœur, bêlements du mouton, réveil en sursaut de Jésus qui, sans perdre une seconde entonne son refrain à lui. Ça commence bien!

Il y a des remous parmi les fidèles. Tante Philippa triomphe. Elle est résolument contre les crèches vivantes. Elle nous l'a répété toute la soirée : ça distrait, ça dérange, ça détourne les pensées du Ciel.

Jésus crie comme si on voulait l'étrangler. C'était une

erreur de diriger le projecteur sur lui : il le reçoit en plein dans l'œil. Marie sort vivement un biberon de la paille. « On n'attend plus que le bœuf et l'âne ! » dit Adrien à sa femme pour la faire enrager. Tout le monde essaie de chanter plus fort pour couvrir les bruits. Inutile de dire que Cécile s'en donne à cœur joie. Je dois reconnaître qu'elle a une jolie voix. Souvent, les gens se taisent pour l'écouter.

On dit qu'à notre époque, les croyants s'adressent plus volontiers à Jésus qu'à son père. Il leur semble plus près d'eux. Moi, je pense toujours que j'ai davantage ma chance avec Dieu. « Mon Dieu, au cas où vous existeriez, faites que les choses s'arrangent pour Claire ! »

Tante Philippa suit dans son livre de messe plein d'images de baptêmes, communions et défunts. Sur les images de défunts, on peut lire parfois de petites phrases d'amis. Par exemple : « Elle fut la bonté même. » Ou bien : « Tous ceux qui croisaient son chemin étaient saisis par la lumière de son regard. »

J'essaie d'imaginer ce qu'on pourrait bien mettre sur l'image de tante Philippa. « Elle consacra sa vie au germe de blé et au sarrasin... » Ou bien : « Décidément, vous n'êtes qu'une emmerdeuse », disait d'elle son mari ! Fou rire. Regard surpris de maman. « Qu'est-ce qui se passe ? » interroge Cécile alléchée. Je cache ma tête dans mes mains. Je me sens vraiment bizarre, pleine de fourmillements. La vie ?

Il s'appelle Paul ! Tout à l'heure, comme nous quittions le parc Buffon, je lui ai avoué mon prénom. Il a ri : « Nous avons le même. » Seule différence, lui, il aime bien le sien. Ou plutôt, il s'en fout. Il m'a dit : « Attention ! Si vous n'aimez pas votre prénom, ça veut dire que vous ne vous aimez pas. » Voire ! Mais depuis cette phrase, je suis soulagée. Il y a de l'espoir. Quand j'ai voulu l'aider à rentrer dans sa voiture, il m'a écartée. « Laissez. » Et, répondant à la question que je me posais tout bas :

« C'est une voiture conçue pour moi. Une sorte de concerto pour unijambiste. »

Je ne savais si je devais rire. Il m'a dit : « A demain ! »

Les rois mages, enfin ! Ils avancent solennellement dans l'allée centrale, portant les offrandes : un coffret d'or, de l'encens qui dégage une odeur formidable et la myrrhe. La myrrhe est une racine soignante. Leurs robes bruissent. Melchior, Gaspar et Balthazar le visage passé au charbon. J'ai beau apprendre par Nicole qu'il s'agit des deux commis du boucher et de l'apprenti carreleur, ma gorge se serre en les voyant s'agenouiller devant le minuscule enfant et déposer superbement leurs cadeaux à ses pieds.

Quelque chose m'arrive dans la main. Un papier plié. Il vient de Cécile, derrière. Je lis : « Peux-tu t'engager à me donner l'argent de grand-mère ? Urgentissime. Te rembourserai sur mon anniversaire. Marque oui et signe. »

L'argent de grand-mère ? Je me retourne. L'œil de la Poison supplie. Mais pourquoi ? Elle aussi va avoir son enveloppe ! Je ne comprends pas ! Qu'y a-t-il de si urgent ?

Je renvoie le message non signé. On verra ! Tout à fait son genre de profiter de la messe pour vous prendre par les sentiments !

L'abbé Gosier parle de la joie, la vraie, celle qui vous tire par les cheveux et vous fait marcher un peu au-dessus du sol. Marie et Joseph sont assis dans la paille sur deux dunlopillos jaunes. Joseph doit être sujet au rhume des foins. Il n'arrête pas d'éternuer. Hanche à hanche, les rois mages somnolent sur un banc. Le maquillage de Balthazar commence à fondre sérieusement. Grand-mère s'est endormie.

Elle ne se réveille que quand tout est fini, se dresse

comme un ressort et clame à la ronde que cette messe était une merveille et qu'elle ne l'a pas vue passer.

Tout le monde s'est levé. Le nez dans son mouchoir, Joseph court vers la sacristie tandis que les rois mages serrent fièrement les mains des paroissiens en faisant des effets de jupes.

La mère du bébé, venue le récupérer, discute le coup avec Marie qui a fini par nouer son châle autour de sa taille. Elles semblent avoir du mal à retirer l'auréole attachée au bonnet de Jésus. Ce que Philippa regarde avec cette expression horrifiée, c'est le chapelet tout personnel que le mouton est en train d'égrener dans la paille.

Charles entraîne sa belle-mère. Pas le moment de prendre froid. Dans l'allée, des gens nous saluent. Je me sens reconnue; c'est agréable! Henriette a filé depuis un moment. Ça doit commencer à sentir rudement bon dans la cuisine.

Et lorsque nous arrivons à la salle à manger, c'est la fête sur la table. Du houx partout, une nappe superbe, les couverts de vermeil, les assiettes des grandes occasions. Si vous en ébréchez une, c'est une fortune qui disparaît. Le roi je ne sais plus combien y a mangé une fois. Respect!

Oncle Alexis fait son entrée, portant religieusement un panier rempli de bouteilles couvertes de poussière, la signature du temps. Papa est à droite de grand-mère, comme d'habitude. Personne ne comprend lorsqu'elle fait signe à Claire de venir à sa gauche; c'est la place d'Adrien! Adrien ne réagit pas. Tout le monde est debout, attendant le bénédicité. Ce n'est pas parce qu'on vient d'assister à la messe qu'on en est dispensé. Il s'agit au contraire de rester en contact avec le Ciel.

Alexis a déjà sorti son couteau et déployé le tire-bouchon. Jamais en retard, Gaston mord dans son pain. Henriette passe la tête pour voir où nous en sommes.

180

« Reste avec nous », lui dit grand-mère.

Henriette s'est immobilisée. Lentement, amplement, grand-mère fait le signe de croix. Après, il me semble qu'il se passe un siècle. Elle a les yeux fermés. Elle se concentre. Quand elle les rouvre, ils brillent formidablement et sa voix est une voix d'appel.

« Mon Dieu, dit-elle, bénissez ce repas, donnez du pain à ceux qui n'en ont pas et acceptez, comme nous allons l'accepter tous, dans la paix et la joie, l'enfant de Claire ! »

CHAPITRE XXIV

UNE LARME DE VIN

Il y a un silence tellement immense qu'on entend, dans la cuisine, le beurre sauter dans la poêle. Mon cœur bat à se rompre. Avec un drôle de bruit de gorge, Henriette se sauve. Calmement, grand-mère s'assoit et déplie sa serviette. Tout le monde l'imite. Enorme bruit de chaises. Je n'ose regarder personne.

« Eh bien, qu'attends-tu pour nous servir ce Montrachet ? » demande grand-mère à Alexis, transformé en statue, la main sur le tire-bouchon.

Tous les regards se portent vers notre oncle qui retrouve l'usage de ses membres, mais pas celui de son cerveau et sort n'importe quelle bouteille du panier posé à côté de sa chaise.

« Il me semble, mon pauvre Alexis, reprend grand-mère doucement, que tu t'apprêtes à nous servir là le Clos-Vougeot réservé au cuissot de sanglier ? »

Ecarlate, Alexis change de bouteille. Adrien laisse échapper un rire pas naturel du tout. Droite comme un i, Claire fixe maman qui regarde papa, lequel considère sa belle-mère comme s'il venait de découvrir une espèce humaine inconnue.

Je vois que Cécile a pris la main de Nicole. Elle la serre dans la sienne. Cécile est la seule qui ose regarder Philippa en face.

Les yeux de Philippa vont de grand-mère à Claire, puis s'arrêtent sur maman. Elle n'a pas l'air d'avoir compris. Pour définir Philippa sur le plan sexuel, il faut savoir qu'à chaque fois qu'elle va consulter son gynécologue, elle fait un « érythème pudique », c'est-à-dire que son corps se couvre de plaques rouges en commençant par la poitrine.

Elle ouvre la bouche pour poser une question.

« As-tu déjà songé à un nom ? » demande vivement grand-mère à Claire.

D'un seul coup, la Princesse est devenue aussi rouge que tante Philippa face au gynécologue.

« Je ne sais pas encore. Ça dépendra...

— On pourrait l'appeler Alexis, propose Cécile, se lançant au secours de Claire. Y'en a pas dans ma classe ! »

Elle se tourne vers notre oncle :

« Ton nom, tu permets qu'on l'utilise ou c'est comme tes organes ? »

Alexis avale la gorgée de Montrachet qu'il tournait dans sa bouche et regarde la Poison très gravement.

« Je permets ! Puisque l'emprunt sera fait de mon vivant. Du moins je l'espère. »

Ces derniers mots ont été dits en regardant Claire. Grand-mère tend son verre. On recommence à respirer. « Accepter l'enfant de Claire »... Il me semble que je n'oublierai jamais ce moment, cette seconde où la phrase est tombée et le silence qui a suivi.

Nicole fait des signes à maman qui répond par des gestes d'impuissance en regardant leur mère. Le premier choc passé, Adrien semble tout réjoui. Je l'ai vu cligner de l'œil à Claire pour l'encourager.

Tout à fait lui! Adrien et grand-mère sont les deux joueurs de la famille; c'est-à-dire que dans la vie, ils s'attendent toujours à des retournements de situation.

« Serait-il possible de savoir... commence tante Philippa.

— Ma chère Philippa, coupe grand-mère d'un ton plein de chaleur, si ce soir, à l'occasion de la grande nouvelle, vous ne goûtez pas à ce Montrachet, vous nous ferez à tous énormément de peine. »

Philippa, qui bouchait comme d'habitude son verre avec sa main, regarde la bouteille dont Alexis a tourné le goulot vers elle, puis grand-mère comme si celle-ci l'avait attirée dans un piège. Et c'est tout à fait ça! Boire à l'occasion de la grande nouvelle, c'est l'accepter, c'est boire à Claire et à son enfant. Elle serre les lèvres si fort que son menton se plisse.

« Alors? » dit grand-mère.

D'un geste étriqué, Philippa finit par tendre son verre.

« Une larme...

— De joie... claironne Nicole.

— Mais certainement, dit Adrien.

— Pour en revenir au nom, reprend grand-mère, nous avons largement le temps d'en trouver des ribambelles d'ici le 12 avril! »

Elle a, du même coup, annoncé la date de la naissance. J'admire.

« Le 12 avril? Mais c'est demain! » s'exclame Adrien tout réjoui.

Et voilà que ce crétin de Gaston semble seulement saisir de quel genre d'affaire il s'agit. Il tourne vers Claire deux yeux tout ronds, engouffre un gros morceau de pain histoire de se donner du courage et saute à pieds joints dans le plat.

« Mais elle est pas mariée, Claire!

184

— On ne parle pas la bouche pleine », tonne grand-mère, consternée.

Philippa regarde son verre comme si elle regrettait. Cécile assassine son cousin du regard.

« De toute façon, le mariage, c'est périmé, déclare-t-elle, un vieux truc en voie de disparition. On t'a pas dit ?

— Comment ? » rugit Philippa.

C'est maman à présent qu'elle condamne du regard pour n'avoir pas su faire respecter par ses enfants la sainte institution. Maman se fait toute petite.

« Ce vieux truc périmé est pour l'instant le meilleur moyen de rendre des enfants heureux, dit grand-mère à la Poison. Mais je pense comme toi que mieux vaut ne pas s'y lancer que de le faire dans de mauvaises conditions. »

Philippa semble effondrée. Son seul terrain d'entente avec sa belle-mère avait toujours été jusque-là les principes, la vertu. Elle ne comprend plus. D'ailleurs, même Nicole semble étonnée par les réactions de sa mère.

« Et puisqu'il paraît, poursuit grand-mère, en tournant cette fois son regard vers Claire, que la loi autorise maintenant à arrêter ce genre d'affaire en route, je félicite celles qui ont le courage de les mener jusqu'au bout ! Même si elles auraient mieux fait de ne pas les entamer. J'ai d'ailleurs envoyé un télégramme à ce sujet à notre ministre de la Santé !

— Un télégramme au ministre ? répète papa, incrédule.

— Afin que la loi ne soit appliquée que pour sauver des femmes, pas pour leur permettre de faire n'importe quoi. La téléphoniste, Mlle Bureau, était bien d'accord avec moi. »

Sur ce, maman prend son verre qu'Alexis vient de remplir pour la seconde fois, boit d'un trait et semble tout étonnée de le retrouver vide après.

L'apparition de la pauchouse nous fait revenir à la réalité. Henriette marche à pas comptés pour que la sauce ne déborde pas. Elle présente le plat à grand-mère.

« Plutôt que de la carpe, j'ai pris du brochet », dit-elle d'une voix brouillée.

Et elle ajoute mystérieusement en regardant Claire :

« Vu ce qui se passe, j'ai pas de regrets... »

Son brochet, elle l'a cuit au Montrachet, flambé à l'eau-de-vie, lié à la crème, ornementé d'oignons et d'ail : l'ail que j'ai épluché cet après-midi pendant que maman, craignant de tuer grand-mère, lui annonçait l'état de Claire avec mille précautions.

Grand-mère a le nez dans le plat.

« On dirait qu'il y a du nouveau dans ta sauce.

— Ça se pourrait bien, dit Henriette en essuyant ses yeux du coin de son tablier qui a toujours servi à tout.

— Inutile d'arroser ta sauce, dit grand-mère. Elle me paraît parfaite comme ça. »

Rire général. Enfin, moins Philippa. Tout le monde se sert et ça va mieux. La pauchouse, c'est à la fois velouté et fort. Je ne sais pas comment Henriette s'est débrouillée mais il n'avait pas d'arêtes, ce brochet.

« Evidemment, soupire grand-mère, je ne pense pas qu'en Amérique ils sachent faire une sauce comme celle-là ! »

Claire rougit à nouveau.

« En Amérique ? » interroge Adrien.

Nicole, elle, a compris.

« On ne marie pas un Pouligny-Montrachet avec du Coca-Cola, dit-elle en se versant une bonne rasade du premier.

— Ni un plat d'escargots avec du pop-corn, enchaîne papa dont c'est la première phrase depuis le début

186

du repas et qui n'en semble pas mécontent du tout.

— Et en plus un Américain! » s'exclame Philippa d'un ton tellement consterné que pour la première fois on entend le rire de Claire.

Je veux bien que ce soit un rire nerveux, comme celui qui est en train de gagner maman qui vient de vider un troisième verre malgré les signaux de papa, mais c'est un rire quand même.

« Qu'on ne prenne pas ça pour du racisme, dit grand-mère.

— Mais voyons donc! » dit Nicole.

Plus raciste que grand-mère, cela n'existe pas. C'est bien simple : n'est vraiment digne d'intérêt à ses yeux que celui qui roule les R convenablement, est né en Côte-d'Or et sait cuire le bœuf bourguignon.

« Je n'aurai qu'une chose à ajouter, dit-elle, c'est que si quelqu'un s'avise de dire quoi que ce soit sous ce toit contre mon premier arrière-petit-enfant il peut quitter dès maintenant ma maison. »

Grand-mère ne regarde personne. Cécile, si! Nous imaginons tous Philippa quittant la table et disparaissant dans la neige, y laissant l'empreinte de ses grands pieds.

Le cuissot de sanglier a été flambé au cognac après avoir passé trois jours dans la marinade. Alexis ouvre religieusement le Clos-Vougeot 1973. On n'en peut déjà plus. Et après le sanglier, il y aura la frisée aux truffes, et après la frisée, un boursault dont grand-mère se taillera une bonne part, et après le boursault, la longue bûche de Noël.

Ensuite, nous sommes tous anéantis, ayant dégusté par ordre : de l'eau-de-vie dans la pauchouse et du Montrachet avec; du cognac dans le sanglier et du Clos-Vougeot dessus; pointe de liqueur dans la bûche; du champagne pour terminer.

Grand-mère se lève, imitée par tout le monde. Signe

de croix avant le bénédicité final. Silence à couper au couteau. Regards inquiets.

« Merci mon Dieu pour ce repas, ainsi soit-il! »

Ouf !

CHAPITRE XXV

L'ENVELOPPE DE GRAND-MÈRE

Nous avons ouvert les paquets le matin vers neuf heures et je dois dire que personne n'était frais.

Henriette avait allumé un grand feu. Tout le monde était en tenue de nuit, sauf Alexis, on sait pourquoi ! Il dort en chemise de nuit et ce n'est pas à cause de la galerie qu'il se convertira au pyjama.

Philippa portait sa robe de chambre en velours grenat ornée d'un chiffre, Adrien, veste de pyjama et pantalon normal, grand-mère était éblouissante : poudre, eau de Cologne et tout. Elle a été encore plus belle après avoir revêtu son cadeau : une robe d'hôtesse en lainage blanc.

J'ai reçu un sac, un pull jusqu'aux chevilles comme je les aime, des tas de bricoles et la fameuse enveloppe avec un gros billet. Henriette était là également et pleurait d'attendrissement sur un transistor.

Je me souviens surtout d'un bruit de papier froissé qui n'en finissait pas, d'exclamations qui me semblaient, je ne sais pourquoi, un peu forcées et de cette sensation que le temps était arrêté. Ce n'était ni le matin ni le soir, c'était, suspendu quelque part, un matin de Noël un point c'est tout.

Je me suis assise sur le canapé à côté de grand-mère. Elle avait les yeux clos et j'ai d'abord pensé qu'elle s'était rendormie. Puis j'ai remarqué qu'entre ses paupières elle regardait Claire en train d'ouvrir ses paquets.

Quand Claire ouvre un paquet, vous en avez pour des heures. Elle défait chaque nœud de la ficelle dorée en prenant soin de ne pas abîmer ses ongles. Elle replie le papier avec le plus grand soin même si c'est pour le jeter à la corbeille après.

Grand-mère regardait Claire entre ses paupières et elle avait un visage tout à fait différent de celui d'hier, au dîner. Il n'était plus tendu par le défi, ni soutenu par le désir de remporter la victoire. C'était le visage d'une femme seule, et vieille, et qui songe à ce qu'est la vie.

Elle a senti mon regard et j'ai vu ses traits se redresser, tirés par le sourire et la lumière des yeux. Sa tête est venue tout contre la mienne; elle a dit :

« Tu vois, Pauline, la clochette à orage, eh, bien ! on dirait qu'elle fonctionne toujours ! »

C'est un peu plus tard, pendant le petit déjeuner qui a duré jusqu'à onze heures, qu'on a constaté la première disparition : la boîte d'allumettes d'Henriette, sa grosse boîte de cuisine.

Entre les allumettes et Henriette, il y a comme une drôle de guerre. Elle les utilise jusqu'à ce qu'il n'en reste plus qu'un petit bout noirci. On dirait qu'en faisant durer le plus longtemps possible ses boîtes elle espère gagner un pari.

Quand elle a débarqué dans la salle à manger, on a tout de suite compris que cela allait mal. Elle est allée droit à Alexis.

« Si monsieur Alexis veut bien me rendre les allumettes qu'il a prises pour sa pipe ! »

190

Alexis, qui avait sa pipe au bec, a brandi sa propre boîte. Justement non! Ce n'était pas lui.

Cela n'a pas eu l'air de convaincre Henriette. Elle a fait deux ou trois tours de salle à manger, regardant partout; mais comme elle ne pouvait quand même pas nous fouiller, elle a bien dû se résigner à entamer la boîte de réserve.

Nous n'y avons plus pensé. Il faut dire que nous avions d'autres sujets de conversation.

D'abord, première nouvelle, Nicole a déclaré qu'elle avait à faire à Paris et a demandé à Papa de l'emmener avec lui ce soir; elle y passerait la journée de demain et nous reviendrait par le train.

Papa n'y voyait pas d'inconvénient, même au contraire. Le babillage de sa belle-sœur le tiendrait éveillé au cas où il lui viendrait des tentations de s'endormir et si elle préférait coucher dans des draps plutôt que sous le pont de la Concorde, il avait une ribambelle de lits à sa disposition.

Papa était de très bonne humeur. Claire et maman aussi. Tout était léger soudain : comme ces après-midi au bord de la mer où, d'un coup, la pluie cesse, le gris se déchire, il fait bleu, des odeurs flottent partout, c'est plein de miroirs.

Philippa n'a pas assisté au petit déjeuner. Gaston lui a monté une infusion dans sa chambre : les excès de la nuit! Moi, c'est affreux! Plus je mange, plus j'ai faim.

Après le petit déjeuner, je me suis recouchée. J'aime énormément être au lit à des heures où il ne faudrait pas et regarder l'hiver couloir d'ardoise posé sur un jardin que l'on a connu plein de fourmillements d'été.

Cécile s'habillait. D'habitude, elle fait mille aller et retour entre le cabinet de toilette et la chaise où elle range ses vêtements afin que le public n'ignore pas que, côté anatomie, elle est en train de rattraper ses sœurs.

Aujourd'hui, non! Elle enfilait n'importe quoi à une allure record avec des soupirs destinés à avertir qu'il y avait anguille sous roche. L'anguille n'a pas tardé à sortir.

« J'ai vraiment besoin de l'argent de grand-mère... »

Elle était debout au pied de mon lit et les soupirs s'étaient changés en des mines éplorées.

« Je te rembourserai sur mon anniversaire. »

Le fait que son anniversaire ait eu lieu trois semaines auparavant et qu'elle ait tout dépensé en cadeaux pour Noël ne semblait pas la gêner du tout. Ni la pensée de la dévaluation.

« C'est loin!

— Je te jure que tu ne regretteras pas.

— Alors dis-moi pour quoi c'est faire? »

Elle s'est mise à fixer d'un air têtu la boule dorée au pied du lit.

« Je ne peux pas. Mais Gaston sait! Et il m'a donné son argent, lui. »

Cela faisait une jolie somme et il fallait que ce soit important pour que Gaston ait cédé car il n'a jamais eu un sou. Tante Philippa est tellement radin que si l'érythème avarice existait, elle serait en permanence un vrai peau rouge.

Cécile se taisait maintenant. Généralement, quand vous lui refusez quelque chose, elle déclare qu'un tel égoïsme c'est rarissime! Qu'il est inadmissible d'attacher tant de prix aux biens matériels et qu'heureusement la propriété individuelle est en voie de disparition! Après quoi, elle vous claque la porte au nez et s'arrange pour prendre en douce ce que vous venez de lui refuser.

Aujourd'hui, elle se contentait de serrer les lèvres en fixant cette boule dorée. Elle n'avait visiblement pas l'intention de claquer la porte et quand je lui ai demandé de me passer mon sac neuf où j'avais rangé

192

l'enveloppe, sa voix était si émue que je ne l'ai pas reconnue lorsqu'elle m'a promis de me verser sept et demi pour cent d'intérêts.

Elle a quitté la chambre d'une démarche grave : mais comme je n'ai pas entendu son pas dans l'escalier je suppose que fidèle à ses habitudes elle est descendue sur la rampe.

Cela m'a gâché ma matinée. Je me demandais quelle bêtise elle pouvait bien avoir faite. Je n'osais en parler à maman à cause de Claire qui m'avait dit que je me mêlais de tout. Je m'en voulais d'avoir cédé. Dire non, je ne sais pas. Ce n'est même pas de la générosité; le plus souvent de la faiblesse.

En tout cas, pas un instant je n'ai fait le lien entre la demande d'argent de Cécile et la disparition de la boîte d'allumettes.

Après le déjeuner, nous nous sommes tous retrouvés au salon. Il ne restait aux branches du sapin que les cadeaux de Bernadette et le paquet pour Stéphane. J'avais hâte de replanter ce pauvre arbre. Il commençait à perdre sérieusement ses aiguilles; malgré la carafe d'eau qu'il recevait soir et matin.

Les projets pour l'après-midi étaient variés. Papa proposait une visite à l'abbaye de Fontenay que tout le monde connaît par cœur : « sa saisissante grandeur, son arc triomphal, sa nef aveugle, sa façade dépouillée, sa pure beauté qui serre le cœur... »

Et lorsqu'on se retrouve dehors, cette envie de parler fort, de courir, d'écouter bruire le feuillage des grands arbres; parce que ces vieilles pierres c'est superbe, mais mort, mort, mort depuis sept cents ans ce qui fait comme sept cents pelletées de terre sur le cœur.

Nicole voulait absolument m'emmener tout de suite à la mairie où avait lieu sa fameuse fête du troisième âge avec Démogée. Journalistes et télévision seraient présents; cela m'amuserait sûrement.

J'ai dit que j'irais plus tard ; pour l'instant j'avais trop mal à la tête.

Une partie de la famille est partie à Fontenay. Je suis restée un moment seule avec Claire dans le salon. J'ai demandé : « Ça va ? » Elle ne m'a même pas répondu.

Un peu avant seize heures, j'ai mis l'écharpe bleue, qui va bien, paraît-il, avec mes yeux ; je me suis légèrement fardée et je suis montée dans le parc.

L'église était fermée. Il ne restait plus de la messe de minuit que beaucoup de boue aux endroits où les gens avaient piétiné.

D'abord, j'ai pensé que si Paul n'était pas là, c'est que j'étais arrivée trop tôt. Je me suis assise sur la pierre et j'ai essayé d'écrire un poème superbe qui le ferait béer d'admiration, tout directeur de collection qu'il était. Mais l'inspiration manquait et, malgré mes gants neufs, j'ai eu très vite les doigts gelés.

J'ai fait un tour pour n'avoir pas l'air d'être là depuis une éternité. La place était toujours vide quand je suis revenue : la nuit tombait en catastrophe, Noël ou pas, cela s'allumait partout.

Et ce qui me serrait le cœur, c'était de ne pas savoir, parmi toutes ces lumières, dans quelle direction tourner ma tête pour deviner la sienne.

CHAPITRE XXVI

COMME UN FAUX RENDEZ-VOUS

Deux longs camions bleus sont arrêtés devant la porte de la mairie. Des câbles en sortent, serpentent vers l'escalier, montent, disparaissent, pleins de pouvoir, pleins de mystère.

Des branches de houx sont fixées un peu partout. Les projecteurs les font briller. Une grande affiche annonce la fête du troisième âge. Nom de Démogée en énorme. J'imagine, je ne sais pourquoi, un vieux type à l'air aigri. C'est sans doute la réputation que lui ont faite les journaux. En attendant, aigri ou pas, aujourd'hui Monsieur n'a pas fait fi de la télévision.

Des gens entrent et sortent, mieux habillés que de coutume. Tout à l'heure, pendant que j'attendais là-haut, c'était déjà la fête ici. La fête, et je n'en imaginais rien ! Il y a un vœu que personne ne faisait dans les contes de fées : être à la fois à plusieurs endroits. Je le fais.

Il est dix-huit heures. La causerie a dû se terminer vers seize heures. Je n'aime pas ce mot. Une « causerie », c'est une promenade en surface, le contraire du fond des choses. Nous devons donc en être à la seconde partie du programme : cocktail et signatures. Je me souviens de ce que m'a dit Paul de ces signatures : un livre dédicacé c'est pour lui comme un faux rendez-vous. Il m'aura donc gâché ça aussi. Sans lui, cela m'aurait plus de rencontrer un écrivain. Sans lui, je serais venue dès trois heures avec Nicole et je n'aurais pas perdu ma journée.

Je lui en veux et m'en veux de lui en vouloir. Après tout, il ne m'a rien promis. C'est moi, moi qui me précipite à corps perdu, à cœur perdu, sur la moindre main tendue.

Les marches mènent à une entrée dallée un peu solennelle. Des groupes de gens bavardent et rient. Ils semblent heureux. Les portes sont ouvertes sur la salle des fêtes où, dans un brouhaha impressionnant, une grosse vague s'agite. On dirait un mur à franchir.

« La voilà quand même! » s'exclame Nicole.

Elle navigue vers moi, s'empare de mon bras.

« Ces maux de tête, ça va mieux? »

Un peu d'ironie dans sa voix; alors je déclare trop fort.

« C'est fini! Mais j'ai pris trois cachets d'aspirine. »

C'est un de trop! Elle sourit. « On va les faire descendre avec un verre de sangria. Viens! »

Si elle me croyait, elle ne me proposerait pas de boire de l'alcool. Si j'avais le courage de mes mensonges, je refuserais sa sangria. Mais je la suis vers le buffet et, pour me venger de ma faiblesse, je me dis que je ne l'aime pas dans cette trop belle robe. Nicole est faite pour le pantalon, le gros pull, le relâché. Comme ça, elle fait raté : une dame ratée! Une bourgeoise manquée.

Elle me tend une coupe rouge et dorée et qui sent l'orange.

« Bois ça! Tu sais, ça a marché fantastiquement. Démogée a été merveilleux. Finalement, il ne se prend pas du tout au sérieux. Il n'a pas arrêté de nous faire rire. »

Des gens s'approchent, nous entourent. Elle me présente : « Ma nièce préférée. » J'enchaîne : « Ma tante favorite ! » Ils n'ont pas forcément l'air si vieux, les « troisième âge » ! Nicole les appelle les « Vermeils », ou les « Merveilles », ce qui les fait rire. Mais pas trop fort. On dirait que leur propre joie les intimide ; ils ont besoin qu'on les approuve d'être venus à cette fête, d'y rire, d'essayer d'être jeunes, encore un peu. C'est une joie tremblante : une joie de bougie.

Avec la sangria, la chaleur revient. Dire qu'il y a une minute, j'hésitais à entrer ! Une voix, des sourires et ça y est ! On fait partie de la vague. Au diable Buffon, son parc, ses lumières et ses rendez-vous manqués.

Il se trouve évidemment un tas de gens pour remarquer un air de famille entre Nicole et moi. C'est dans les sourcils. On dit « les sourcils Moreau ». Deux petites haies sur les yeux où il ne manque que les oiseaux.

« Maintenant, viens ! dit-elle. Il faut que je te présente à l'auteur.

— Où est-il ?

— Je l'ai installé chez le maire. Comme ça il peut parler aux gens. Ce n'est pas le tout de signer... »

Je vois d'abord, au mur, le président de la République, puis, plus bas, derrière une haute pile de livres, la tête penchée de l'écrivain. Je m'arrête. D'un coup, le souffle me manque. Je ne peux pas. Je ne veux pas y croire. Je ne veux pas croire que j'aie pu être aussi naïve, aussi stupide.

« Qu'est-ce que tu attends ? dit Nicole. Avance donc ! »

Et j'avance comme une idiote au lieu de m'enfuir. On ne voit pas les jambes derrière le bureau. C'est sans doute aussi à cause de son infirmité qu'on l'a installé loin de la cohue, sur ce fauteuil confortable.

Il y a une grand-mère assise en face de lui. Il signe.

« Ma nièce », annonce Nicole.

Il lève les yeux et me sourit. Sans étonnement. Il m'attendait. Je n'avais jamais vu son visage en pleine lumière. C'est quelqu'un d'autre. Plus jeune. Mais plus creusé aussi. Et c'est quelqu'un de célèbre; je ne pourrai plus l'oublier. Plus jamais il ne sera celui qui, dans le parc, comptait les lumières avec moi.

Il regarde sa montre.

« Pauline! On dirait que vous êtes encore en retard. »

Nicole sourit, elle aussi. Et je comprends qu'elle savait tout. Il lui a raconté nos rencontres dans le parc. Elle m'a reconnue. Pas difficile! Ils ont, je suppose, ri gentiment de moi. Ils m'ont attirée dans ce piège.

La grand-mère se lève, son livre contre son cœur. Elle serre longuement la main de l'auteur. Elle dira : « Je lui ai serré la main. » Je sens les larmes qui montent et j'ai honte. Tellement honte de tout : de m'être confiée à lui, de m'être laissée avoir par Nicole, de me sentir trahie, de ne pouvoir retenir mes larmes. Si seulement j'étais triste. Mais quand je pleure, neuf fois sur dix, c'est que j'ai envie de mordre et que je ne peux pas.

Le sourire de M. Démogée a disparu. La façon dont il me regarde maintenant : mi-grave, mi-intriguée, n'est pas faite pour arranger les choses. Il a des yeux gris. Il est beau. Je ne m'en étais pas rendue compte.

Il me tend un livre.

« J'ai écrit quelque chose pour vous. »

Je l'ignore et fais demi-tour. Je plonge dans la foule, je me rue vers la sortie. Il me semble entendre mon nom. Tant pis.

Cela monte dur jusqu'à la maison. J'ai encore sur le palais le goût sucré de la sangria. « Ma nièce préférée »... Parlons-en! Et le livre de Démogée, il aurait dû s'appeler « La trahison ». Il peut toujours revenir m'attendre au parc Buffon. Et d'ailleurs, il ne reviendra plus. C'était pour préparer cette superbe blague.

Si Nicole raconte quoi que ce soit à la famille, je ne lui parle plus de ma vie.

La voiture de papa est devant la maison et quand je rentre dans la cuisine c'est la grande réunion autour de l'omelette aux girolles destinée à caler les voyageurs.

Il lève un œil :

« D'où viens-tu ?

— De la mairie.

— C'était bien ?

— Pas mal. »

Il s'en fout. Deux questions posées pour la forme. Il est déjà loin de nous, mon père ! A son hôpital où, dès ce soir, il fera un saut pour voir un malade au sujet duquel on lui a téléphoné plusieurs fois.

Il attrape Henriette par le bout de son tablier.

« Sûr et certain qu'il n'y a pas d'ail dans cette omelette ? »

L'ail, il ne ferait pas ça, aux malades !

« S'il y en a, c'est pas moi qui l'ai mis », proteste la cuisinière.

A côté de lui, maman s'empresse. Et « veux-tu un peu de vin ? As-tu suffisamment de pain ? » Et « Je t'ai laissé des provisions dans le placard à provisions, des serviettes propres dans le tiroir à serviettes »... On dirait qu'ils se quittent pour six mois. C'est à chaque fois comme ça. Avant même de se séparer, ils se manquent déjà. L'amour ? L'habitude ? L'amour des habitudes ?

Je remarquerai à peine le seul fait important qui ressort de la conversation. Papa a perdu son rasoir. Son cher rasoir à piles. Il s'en est servi ce matin. Il était pourtant sûr de l'avoir remis sur la table de toilette !

On a beau réfléchir, on ne voit pas qui aurait pu le lui emprunter. Alexis se rase au blaireau et nous nous n'utilisons ce genre d'instrument que l'été.

Maman promet de le chercher. Il y en a un autre à *La Marette*. Sujet clos. Personne n'a fait le lien avec la disparition de la boîte d'allumettes. Je m'en souviendrai plus tard. Trop tard !

Nicole arrive cinq minutes avant l'heure du départ. Pas question d'omelette pour elle; elle a fait honneur au buffet. Le temps de fourrer deux ou trois affaires dans un sac, elle y est.

Tout le monde est là pour dire au revoir aux deux partants. Elle prend Claire aux épaules et la regarde un petit moment avant de l'embrasser. La Princesse ne sait où se fourrer, d'autant qu'elle a la bouche pleine de girolles qu'Henriette vient de lui refiler en douce.

Lorsque c'est mon tour, je regarde d'un autre côté. Je sens les lèvres de ma tante contre mon oreille et elle dit tout bas : « Décidément, Pauline, tu es une drôle de fille ! »

La « drôle de fille », ça ne me plaît pas !

CHAPITRE XXVII

PLANTER NOËL

La « drôle de fille » a décidé qu'elle en avait assez et qu'elle allait se laisser vivre. Elle a rayé de son programme les promenades romantiques, la comptabilité des lumières, les rêves de communication, les réflexions philosophiques. Elle a récupéré sur les étagères du grenier les romans de ses grandes vacances, des romans où un plus un faisaient forcément deux ce qui n'est pas du tout ça dans la vie, où le visage des gens reflétait leur âme, ce qui prouvait bien qu'ils en avaient une, où si l'on s'enfonçait, une main ne manquait jamais, au cours du dernier chapitre, de se tendre pour vous sauver.

La drôle de fille s'est installée au coin du feu. Elle a décidé de tricoter une écharpe aussi longue que le temps qui passait et n'est ressortie que le 27 décembre, à midi dix, pour aller avec sa mère chercher Bernadette et Nicole à la gare.

Nous bavardons en remontant avec nos voyageuses la grand-rue qui mène à la maison. Finie la neige. Il fait trop froid : un froid sec et lumineux comme une lame de couteau.

Papa et Nicole ont déjà, à *La Marette*, raconté à Ber-

201

nadette tout ce qui concernait Claire mais elle veut que maman recommence. Elle ne se pardonnera jamais d'avoir été absente quand grand-mère a annoncé la nouvelle. Ah! comme elle aurait aimé entendre Philippa demander sa « larme de vin »! C'est tellement elle! Pourquoi pas un « sanglot »? Et maintenant?

Maintenant, ça va. Philippa n'est pas passée à l'attaque mais parfois son regard fait peur. Surtout depuis qu'oncle Adrien est reparti pour Dijon vers son étude d'agent de change où il rêve à des escargots.

Comme hommes, nous n'avons plus qu'Alexis à la maison. Vivement vendredi, dans deux jours, qu'Adrien revienne; et le 31 où papa, paraît-il, ramènera Stéphane.

« Ça va l'armée?

— Pas méchant mais mortellement chiant! » résume Bernadette.

Je ris. De ce ton catégorique, coloré. Du plaisir de l'avoir retrouvée. C'est au moment où je l'ai vue descendre du train que j'ai réalisé combien elle m'avait manqué. Elle regardait ce quai, la gare, avec son air de réclamer des comptes, son air d'attaque. Bernadette est une fille de combat. Et quand elle parle, c'est plein soleil. Le contraire de Philippa.

Nous portons à deux son gros sac. Une anse chacune. Nicole et maman suivent plus lentement. Bernadette a les yeux partout, de longues inspirations : « Bon Dieu, ce que ça peut sentir Montbard, tu as remarqué? » Un peu avant d'arriver à la grille, elle me regarde plus profondément et demande :

« Et toi? Ça va? »

Je réponds « Oui! Rien de particulier. »

Et immédiatement je regrette. Mais déjà c'est trop tard. Bernadette est partie sur un autre sujet.

Non! Ça ne va pas. Et il y a du particulier : Cécile. Si tout le monde, d'Henriette à grand-mère, n'avait pas à longueur de journée les yeux fixés sur Claire, on verrait bien que de ce côté-là quelque chose est détraqué, se dégrade, comme si une menace pesait sur la Poison, trop forte pour elle. On remarquerait les cernes sous ses yeux; on percevrait le faux dans ses rires. Grand-mère s'inquiéterait de la voir, elle si gourmande, toucher à peine aux repas. Maman se demanderait où elle peut disparaître toute la journée.

Je ne sais rien. Quand je l'ai interrogée, elle a, à nouveau, refusé de répondre. Elle m'a dit aussi que si je parlais à quelqu'un de l'argent que je lui avais donné, ce serait « encore plus grave ». Je pense à un chantage. Mais qui aurait intérêt à faire chanter Cécile? Et sur quoi?

Le rasoir de papa a mystérieusement réapparu sur la table de toilette. Par contre, Alexis ne s'y retrouve plus dans le compte de ses bouteilles. Il assure qu'il en manque. On ne peut quand même pas accuser Philippa! Quant à Gaston, il est au lit avec la grippe, ne pouvant, paraît-il, plus parler.

Ne pouvant ou ne voulant? J'ai essayé de l'interroger. Il s'est tourné du côté du mur. Il avait l'air d'avoir peur.

Je réponds à Bernadette : « Rien de particulier. » Mon père affirme que cela n'aurait rien changé si je lui avais confié ma peur ce jour-là. Il était déjà trop tard, paraît-il. Mais après ce qui s'est passé, comment pourrait-il dire le contraire?

Et puis j'oublie! Le déjeuner, grâce à Bernadette et Nicole qui se renvoient la balle sous les yeux ravis de grand-mère est un moment exquis. D'ailleurs, même la Poison rit franchement pour une fois.

L'après-midi, Alexis me donne une leçon de conduite dans le jardin. Il a une vieille Deux Chevaux asthmatique qui vous rompt les os mais il affirme que lorsque j'en serai maîtresse aucun autre véhicule ne me résistera.

J'évite de me trouver seule avec Nicole. Pas envie de

parler de sa fête de la mairie. Mais le soir, alors que je viens de me coucher, elle entre dans ma chambre et pose un livre sur le drap.

« De la part de Démogée. Il ne voulait pas te faire de la peine, tu sais. Il était très ennuyé quand tu t'es sauvée. »

Le pauvre... Je ne réponds rien. Pour un écrivain, il a manqué singulièrement d'imagination, voilà tout ! J'attends qu'elle soit sortie pour lire la dédicace et mon cœur bat un peu quand même.

« Pour une petite lumière dans le parc Buffon, posée sur une pierre mouillée. »

C'est joli mais incomplet : la lumière ne brille plus. Il l'a éteinte avec son pied.

Je glisse le livre sous mon oreiller pour éviter les questions de Cécile. La couverture est rigide. Elle m'empêche de dormir la nuit.

Nous avons eu malgré tout un bon moment lorsque nous avons replanté le sapin.

Nos sapins de Noël forment une sorte de haie sur la première terrasse, près de l'endroit où, l'été, on installe les transats et le parasol pour grand-mère.

Certains arbres ont mieux repris que d'autres mais tous ont survécu.

Il s'est d'abord agi de creuser un trou profond, ce qui n'allait pas de soi avec le gel. En tout cas, après, plus personne n'avait froid.

Le trou creusé, nous avons transporté la caisse avec le sapin hors de la maison ce qui n'a pas été sans mal, surtout avec Henriette qui criait qu'on lui mettait plein de terre dans son salon.

Les portefaix étaient Alexis, maman, Bernadette, Nicole et moi. Le reste encourageait, sauf Philippa qui prédisait qu'on n'y arriverait jamais et déclarait qu'un sapin de cette hauteur, c'était mortel pour les lustres.

Les aiguilles pleuvaient sur nos têtes. Tout le monde

criait; de temps en temps, on s'arrêtait pour rire. Quand Claire a proposé son aide, ça été le bouquet.

Une fois dans le jardin, on a retiré de la terre notre invité de Noël et on l'a transporté sur une brouette. Il avait encore sur ses branches un peu d'argenté de guirlandes; j'avais hâte de lui redonner vie, de tasser autour de ses racines la bonne terre vivante, hâte que ses branches éprouvent le vent et portent la neige puisque les épineux aiment ça. Il me semblait détenir un grand pouvoir.

Tandis que nous le plantions, oncle Alexis nous a raconté une fois de plus l'histoire de cet endroit.

Avant nous, Daubenton, l'ami de Buffon, habitait la maison. Daubenton était naturaliste, lui aussi, et avait tout le temps besoin de cadavres pour étudier. Etudier des cadavres étant interdit il allait de nuit chercher sa matière première dans le cimetière voisin et quand il avait fini de l'utiliser il enterrait les restes sur la première terrasse.

Mais l'histoire ne fait que commencer. Durant la dernière guerre, la maison de grand-mère avait été occupée par des officiers allemands. Et voilà qu'après leur départ on retrouve sept tombes toutes fraîches sur cette même terrasse, exactement là où nous prenons le café en regardant la campagne, les vaches blanches sur la colline et le train qui déroule nos souvenirs d'enfance.

C'était les tombes de sept jeunes Allemands : de quinze à dix-huit ans. Et ce qu'Alexis aimerait bien savoir, et nous aussi, c'est la tête qu'ont faite les officiers quand, creusant les tombes pour enterrer ces enfants — je ne peux les appeler qu'ainsi, tant pis ! Ces enfants qui auraient pu être moi, sans envie de se battre, s'émerveillant encore des couleurs du ciel et de la puissance de l'amour sur le corps —, ils ont rencontré tous ces tibias, crânes et péronés sans parler du reste, cachés là par Daubenton...

Nous avons donc, cet après-midi-là, de calme, de soleil tranchant, de retour de Bernadette, planté le sapin dans cette terre où, entre Français et Allemands s'était célébré le grand mariage de l'absurde.

Cécile cherchait des restes d'ossements. Oncle Alexis avait l'air content. Mieux! En paix. Lorsque nous avons eu tassé la dernière pelletée de terre, il s'est allumé une pipe et, appuyé à sa pelle, il a regardé son travail en lançant de profondes bouffées de fumée, comme des messages au passé.

Je me demande si ce n'est pas exprès qu'il a choisi cet endroit pour sa haie de Noël. Avec Alexis, il faut se méfier. Avec la mort aussi!

Elle est venue en douce sur la maison. Elle y a pénétré en traîtresse, en voleuse. Elle se préparait déjà tandis que nous plantions ce sapin avec l'impression de donner la vie.

Mais avant qu'elle frappe, il s'est passé beaucoup d'événements, grands et petits, qui nous ont mis à tous des bandeaux sur les yeux.

Et pour commencer, cette partie de billard Nicolas qui, fait exceptionnel, n'a jamais été terminée.

CHAPITRE XXVIII

UNE PARTIE DE BILLARD NICOLAS

C'est après le déjeuner, le 28 décembre! Oncle Alexis fait équipe avec maman. Nicole joue avec grand-mère. Le billard Nicolas est ce jeu où l'on souffle avec des poirettes rouges sur une petite boule de liège blanche pour la faire aller dans le trou adverse. Le moment le plus excitant est celui où la boule hésite près du but, les deux camps donnant leur maximum dans une position particulièrement difficile.

Cela se passe très mal, comme d'habitude. Alexis et maman se font enfoncer. Alexis assure que c'est parce qu'on lui a donné la mauvaise poirette : celle qui colle aux doigts. Voilà quarante ans qu'il a, paraît-il, la poirette qui colle aux doigts et à chaque fois que, dans le feu de l'action, il ne peut s'empêcher de s'en plaindre, maman rit si fort qu'elle a des crampes au ventre et ne peut plus souffler. Grand-mère se contente de gagner tout en rappelant à Alexis qu'un homme né le jour de la Saint-Placide devrait être plus maître de ses nerfs, ce qui achève de le mettre hors de lui. Nicole est féroce : pas un sourire, pas un cri. La seule chose qui l'intéresse : anéantir l'ennemi!

On en est à cinq à un pour grand-mère. Laissant la

jeunesse s'amuser, Claire, Bernadette et moi tentons de lire. Cécile a disparu comme d'habitude. Philippa digère dans l'obscurité de sa chambre contiguë à celle du pauvre Gaston dont la fièvre est tombée mais qui n'a pas encore le droit de sortir.

Il me semble entendre une voiture entrer dans le jardin mais sans certitude. Presque tout de suite, on frappe à la porte et la tête d'Henriette apparaît.

« Un monsieur pour Madame ! »

Grand-mère lève les yeux. Maman en profite pour expédier la boule direct dans le camp de l'ennemi.

« Coup nul ! crie grand-mère. Interruption de jeu ! »

Et à Henriette, furieuse :

« Un monsieur ? Quel monsieur ? »

Henriette s'efface, la porte s'ouvre tout à fait et Antoine apparaît.

Il porte une canadienne comme s'il pensait débarquer au pôle Nord. Il a l'air calme. Il sourit. C'est d'abord son sourire qui me frappe; je gardais de lui le souvenir d'un visage gris. Il sourit en marchant vers grand-mère qui a mis un moment à le reconnaître, mais ça y est ! Il lui baise la main.

« Quand même, dit Nicole d'une voix fausse à souhait, je commençais à me demander si vous viendriez ! »

Grand-mère regarde notre tante sans comprendre.

« C'est une très vieille invitation, explique celle-ci. Elle date de septembre, d'une certaine fondue bourguignonne[1].

— Une fondue ? » ne peut s'empêcher de relever grand-mère dont c'est l'un des plats favoris.

Nicole regarde Antoine d'un air malicieux :

« Il y avait d'ailleurs une condition à cette invitation.

— Apporter sa sauce », enchaîne Antoine.

1. Voir *L'Avenir de Bernadette.*

208

Ils ont l'air de répéter une pièce de théâtre. Grand-mère s'y associe.

« Je ne la vois nulle part, cette sauce... »

Antoine touche son front.

« Elle est ici ! Et je vous assure qu'elle embaume. »

Il se tourne enfin vers le reste de l'assemblée. Vers Alexis toujours en face de sa poirette, vers maman qui semble totalement abasourdie, vers nous, vers Claire.

Claire est debout près du canapé dont elle tient le dossier. Elle est toute blanche. Même les lèvres. Elle regarde Antoine comme si elle ne pouvait croire que c'est réellement lui. Au moment où je me demande si elle ne va pas se trouver mal, Bernadette se précipite et, sans un mot, appuie sur son épaule pour l'obliger à se rasseoir.

Antoine vient vers nous. Je sens ses mains sur mes épaules, ses lèvres effleurent mon front. Elles sont toutes fraîches : elles sont le voyage.

« Alors, Pauline ! »

Il serre la main de Bernadette. Le voilà maintenant devant la Princesse. Il la regarde longuement :

« Est-ce que ça va ? »

Il l'a dit avec force, comme une question posée depuis longtemps. Il l'a dit d'une voix essoufflée, comme s'il avait couru pour connaître la réponse.

Pendant plusieurs secondes, Claire garde le silence. On dirait que c'est trop : que la surprise a supprimé ses forces. Mais ce n'est pas ça. Pas du tout.

Très lentement, délicatement, elle pose la main sur son ventre.

« Il se porte bien, dit-elle. Et moi aussi. »

Sa voix a un peu frémi. Je dirai : de fierté. Et je me souviens de ce déjeuner si triste et qui me paraît loin, où elle essayait de m'expliquer qu'en un sens, c'était un peu à cause d'Antoine qu'elle gardait l'enfant.

Il y a un silence immense, interminable. Ils se regardent. Nous sommes huit dans le salon, sans compter Henriette à la porte, qui n'en perd pas une miette; mais à cet instant, c'est sûr, ils sont seuls.

Et Antoine n'a pas fini de nous étonner. Il regarde toujours Claire de son air essoufflé.

« Etes-vous heureuse? » demande-t-il.

Comme un sourire passe sur le visage de notre Princesse.

« J'essaie! »

Grand-mère est bouche bée. Elle se tourne vers maman dont les mains sont crispées sur le bord du billard. Nicole fixe ses pieds. C'est alors qu'oncle Alexis intervient.

Oncle Alexis est un homme extrêmement réservé qui déteste se mêler de la vie d'autrui et garde toujours ses réflexions pour lui.

Il enfourne sa pipe dans sa bouche et, tout en l'allumant, la bedaine en avant, il vient vers Antoine et Claire.

« Dans ma vie, il y a une chose que j'ai pu constater, dit-il, les arbres plantés dans le bonheur tiennent dix fois mieux le coup et poussent rudement plus droit que ceux plantés n'importe comment; à contrecœur par exemple! »

De son embrasure de porte, Henriette approuve à grands hochements de tête. C'est comme pour ses sauces! Elle nous le répète assez qu'il faut y mettre de l'esprit.

Tourné vers Alexis, Antoine attend la suite mais c'est fini. Notre oncle retourne vers le billard, vers maman qui le regarde comme on regarde un roi.

Une bûche se brise et répand ses braises. Feu et cendre. Un bruit qui résume tout.

Bien que Claire ait les yeux baissés, Antoine lui sourit. C'est très beau. Je pense qu'il sourit à l'enfant.

Nicole fonce vers Henriette, toujours debout près de la porte.

« Si tu nous refaisais une tournée de café ? »

Elle a parlé fort exprès. Pour faire revenir la vie, pour vous prendre par les épaules et vous replonger dans le quotidien. Nicole est une femme de quotidien.

« Il est déjà sur le feu, enchaîne Henriette. Y'en a pas pour longtemps. Un aller et retour. C'est comme s'il était là. »

Mais au lieu de sortir, elle s'approche de grand-mère et dit du ton autoritaire de celle qui a déjà tout décidé :

« Pour Monsieur, qu'est-ce que je fais ? La chambre de la tante verte ?

— Fais, dit grand-mère. Fais, ma belle. »

A Montbard, les chambres sont le plus souvent baptisées du nom de l'aïeule qui y trône. Dans son beau cadre doré, la « tante verte » n'est pas verte mais blafarde, d'où son nom : elle est morte, la pauvre, de la « maladie de langueur » : tuberculose.

Antoine est revenu vers maman. J'entends qu'il parle d'hôtel. Nicole proteste. Si c'est pour loger chez le concurrent, il n'a qu'à retourner à Paris. Et que dira Charles s'il ne le trouve pas là ?

J'apprends, nous apprenons, qu'ils ont dîné tous les trois avant-hier soir à *La Marette*. Première nouvelle pour Bernadette qui, elle, dînait chez les Saint-Aimond. Etait-ce un dîner ou un complot ?

Voici déjà le café. Je laisse Nicole le servir. On voit tellement qu'elle a envie de bouger, de venir vers nous, de nous interroger du regard.

C'est « non merci » pour moi, « deux sucres et demi » pour Bernadette, un « canard » pour la Princesse.

Je suis assise à côté d'elle dans un flou complet. Impossible de rassembler deux idées. A la fois je suis heureuse et je me sens volée. De quoi ? C'est que j'ai envie, soudain, d'être dans les bras de quelqu'un. Que la vie se déclare pour moi, qu'elle m'enlève, malgré moi. C'est bien qu'Antoine soit venu! C'est bien, qu'un jour, j'ai pensé à lui comme à un amour impossible. Cela rehausse tout. Cela me fait augurer pour l'avenir des tas de choses très compliquées, le contraire du sommeil. Ce que j'appelle et que je crains.

Claire se lève et je reviens à la réalité. Elle est toute rouge maintenant. Elle se lève et marche vers la porte sans regarder personne, sans chercher du tout à cacher son ventre, au contraire. C'est vivant. C'est criant.

La tasse d'Antoine tinte sur la soucoupe. Il se lève à son tour, dit : « Excusez-moi » et sort à la suite de Claire.

La porte refermée, il y a un moment de gêne. On a envie de rire pour minimiser ce qui vient de se passer, pour se retrouver comme avant. Peut-être pourrait-on si Bernadette possédait une once d'humour. Mais Bernadette et l'humour...

Elle vient se planter sous le nez de Nicole.

« Tu aurais pu nous prévenir! Au moins Claire!

— Je ne savais pas qu'il viendrait, proteste Nicole. Je me suis contentée de lui réitérer l'invitation de septembre. Jusqu'à tout à l'heure je te promets que je pensais plutôt la réponse négative. »

Bernadette garde son air méfiant.

« C'est quand même pour lui dire de venir que tu es rentrée avec papa. »

Nicole ne répond pas directement.

« La vie, tu vois, il faut parfois lui donner un coup de pouce pour qu'elle avance. Comme ça, au moins, si ça ne marche pas, on peut se dire qu'on aura tout fait.

— Toi, ce serait plutôt des coups de pied », dit grand-mère.

Enfin, le rire de maman. Grand-mère enchaîne. Alexis court vers le placard aux bouteilles. Dès qu'il y a problème, c'est toujours pour lui l'occasion de se requinquer à la mirabelle. Grand-mère tend d'autorité sa tasse de café. Alexis montre le billard.

« Tu ne veux pas finir la partie avant ?

— Pour une fois, considère que tu as gagné, concède grand-mère. Nous abandonnons. Décidément mon pauvre Alexis, la vie est trop riche en événements. »

J'ai toujours beaucoup aimé me promener le long du canal de Bourgogne en pensant à tous ces bateaux chargés de marchandises dont c'était la route autrefois.

J'ai pris un vieux vélo dans le garage, j'ai traversé Montbard, passé le pont, longé l'usine dont on entend quatre fois par jour la sirène, puis la cité ouvrière, si triste.

Le canal est bordé de peupliers immenses dont les feuilles, en forme de confetti, font, au vent, un bruit de papier. Depuis qu'il n'est plus utilisé on a mis des bancs sur ses berges. On y a planté des bosquets et des fleurs. Moi, je rêve que cette eau reprend sa liberté et déborde un bon coup et va porter dans la campagne un peu de bruit de péniches, et les paysages d'ailleurs.

Quand j'ai été tout à fait loin des regards, j'ai posé mon vélo contre un arbre et, tout en longeant le canal, j'ai achevé le livre de Paul.

Il paraît que c'est un bon roman. On lui a décerné un prix. Je ne l'aime pas. C'est l'histoire d'un homme — non, même pas l'histoire, il n'y en a pas — c'est la description d'un homme perdu parmi les autres, sans amour, sans chemin, sans espoir. Le portrait d'un fantôme; un livre sans lumière, composé de phrases éteintes, de mots vides de sang; une énumération d'objets, de noms de lieux, de chiffres.

A aucun moment, je n'y ai trouvé la vie. Ce livre ne m'a pas une seule fois parlé de moi, de nous, de ce que chaque jour, je vois, sens, éprouve.

Comment ai-je pu me tromper à ce point ? Je croyais avoir rencontré un homme de chaleur, un homme d'échange. C'était un masque qu'il portait. Ce que j'appelais en moi tendresse et poésie, n'était que jeu et moquerie. Il ne regardait les lumières que pour les éteindre en lui. Je comprends maintenant le tour qu'il m'a joué : cela finissait bien la farce.

Je me suis souvenue de cette bûche qui, tout à l'heure, s'était brisée, de cet éclatement de la vie. J'aurais décrit la braise. Paul n'aurait vu que la cendre.

Pour l'excuser, j'ai essayé de penser à sa jambe. Mais il y avait en moi quelqu'un qui refusait de pardonner, de plaider en sa faveur, et, pour clore à jamais cette histoire sans intérêt, j'ai laissé tomber le livre dans l'eau, avec la pierre mouillée, les lumières de Noël et la tristesse des rendez-vous manqués.

CHAPITRE XXIX

LA GRAND-MÈRE-CALEÇONS

« REGARDE, dit Cécile. Quand même! Moi, je trouve qu'il fallait du vice... »

Antoine rit. Ils sont assis côte à côte sur le canapé. Sur leurs genoux est déployée l'une des plus savoureuses reliques de la famille : un gros livre relié datant du XVIᵉ siècle. Il est rouge et doré, fermoir en or. Il s'agit d'un livre d'art reproduisant des statues de l'Antiquité. Jusque-là, rien de particulier. Mais la grand-mère lointaine à qui appartenait cette merveille, choquée par la nudité des modèles, a inventé en 1520 le bikini. Peints à l'encre de chine, toute une collection de maillots : deux pièces pour les femmes, minislip pour les hommes. Evidemment, les mannequins sont mieux en chair et plus musclés que ceux d'aujourd'hui mais, eux aussi, prennent la pose et font saillir leurs avantages.

Ce qu'il y a de fantastique, c'est la minutie avec laquelle le travail a été exécuté, le fini, la variété. D'élégantes brides nouent les côtés des slips masculins, les bretelles des soutiens-gorge ont beaucoup d'élégance, sont doubles ou simples, plus ou moins fines selon l'épaule. Si la fermeture Eclair avait existé, on en verrait chaque dent. Cette superbe collection de prêt-à-por-

ter a valu à notre originale aïeule le nom de
« grand-mère-caleçons ».

« Mais ça a dû lui prendre un temps fou ! » s'exclame
Antoine.

Il ne rit qu'à demi. Lorsqu'on lui a fait visiter la
maison, il a été très impressionné par tous les crucifix,
chemins de croix, sacrés-cœurs et, dans les cadres
anciens, les fragments de cheveux, d'os ou de tissu,
ayant touché des saints et destinés à faire tomber sur la
famille une profusion de facilités pour son passage au
paradis.

« Moi, dit Cécile, je suis sûre que ça lui faisait quelque chose d'extra pendant qu'elle dessinait ça. Surtout
quand c'était les hommes qu'elle édulcorait.

— Edulcorait... s'esclaffe tante Nicole.

— Pour le « quelque chose d'extra », peux-tu préciser
ta pensée ? demande hypocritement Bernadette.

— Eh bien, elle devait s'éclater complètement, pré-
cise la Poison, il n'y a qu'à voir comme elle faisait :
toutes ces petites brides pour détacher. Et rien qui
dépasse jamais, tu peux y aller ! Dommage qu'elle n'ait
pas mis du tissu : on aurait pu soulever.

— On peut essayer d'effacer, propose Bernadette,
mais je ne garantis rien. Les pauvres risquent... d'être
édulcorés à vie. »

Gaston s'étouffe de rire entre ses mains. Tante Philippa qui faisait semblant de lire est bien obligée de
relever la tête pour braquer vers lui des sourcils froncés. Elle ne se doute pas que son fils en connaît un bout
en matière de nudité féminine. Il y a deux ans, la pâtissière est venue se plaindre à oncle Adrien : Gaston
payait sa fille pour la regarder, sans bikini ni rien,
quand elle venait livrer les gougères. Cela se passait au
grenier.

Oncle Adrien a beaucoup ri et s'est permis de rappeler à la pâtissière qu'il faisait la même chose avec elle

trente-cinq ans auparavant. Il en était tout rajeuni. La pâtissière s'est sauvée. Philippa ne s est jamais doutée de rien. Maintenant, c'est le commis qui vient livrer les gougères.

« Si vous continuez à vous moquer de votre aïeule, menace grand-mère, je ferme le livre à clef. »

Elle fait une patience sous la lampe, surveillée par maman qui, sur sa demande, l'empêche de tricher. Elle trouve plutôt beau qu'entre la valeur marchande d'un livre et la pudeur, la grand-mère-caleçons ait choisi cette dernière.

Cécile continue à tourner les pages, refrénant ses rires. Tout à l'heure, lorsqu'elle est entrée au salon et qu'elle a vu Antoine, l'étonnement l'a d'abord clouée sur place. Ensuite, elle a volé dans ses bras. Depuis, il me semble lire comme un soulagement sur son visage. Et voilà longtemps qu'on ne l'avait entendue rire si franchement.

Claire les guette du coin de l'œil. Ce sera dur de savoir ce qu'ils se sont dit, Antoine et elle, durant leur promenade qui a duré deux heures et au retour de laquelle elle est allée directement s'enfermer dans sa chambre. Indice plutôt favorable, elle a écouté à la radio un opéra de Mozart. Second indice à l'appui du premier, du rouge sur ses lèvres.

Huit heures moins cinq. Dans cinq minutes, ce sera la cloche du dîner, sonnée à toute volée par Henriette. Je sors discrètement du salon et monte dans ma chambre. J'ai plutôt honte de ce que je m'apprête à faire mais une sorte d'obligation, d'angoisse, m'y pousse. Il le faut.

Je laisse la porte ouverte pour entendre si quelqu'un vient. Mon cœur bat. La chambre est différente, comme une ennemie. Je commence à fouiller l'armoire sans rien trouver. Rien non plus sous l'oreiller de Cécile. J'ouvre son tiroir, dans la commode. Amas de chaussettes, slips et mouchoirs. Apparemment, je me suis trompée en croyant la voir cacher quelque chose quand je suis entrée tout à l'heure.

J'explore avec les mains. Je vais renoncer lorsque je sens, dans une chaussette, comme du papier. C'est une enveloppe.

Je m'attendais à trouver une lettre de chantage, ou de menace. Ou peut-être un objet. Mais cela, jamais !

C'est un billet d'avion. Dijon-Marseille. Départ le 31 décembre : demain ! 16 h 10. Nom : M. Moreau.

M. Moreau ? Il n'y en a qu'un ici : mon père. Et je suis sûre d'une chose : il n'a jamais envisagé de prendre l'avion pour Marseille ! Demain, il vient ici ! Il a confirmé à maman, au téléphone, qu'il apporterait le foie gras pour le réveillon; un foie gras fantastique qu'on nous expédie de Sarlat, en Dordogne. Cécile aura droit, comme toujours, à sa tranche de saumon fumé parce qu'elle refuse d'être complice du calvaire des oies...

M. Moreau. Dijon-Marseille. 31 décembre. 16 h 10.

Je remets le billet dans la chaussette et referme le tiroir. Ma tête tourne. Demain... Je tombe sur mon lit. C'est très grave !

Lorsque j'entends le pas dans l'escalier, j'ai juste le temps de foncer dans le cabinet de toilette. J'asperge mes joues d'eau. C'est bien Cécile ! Elle s'appuie à la porte et me regarde. Comme elle a l'air fatiguée.

« Qu'est-ce que tu fous ?

— Tu le vois bien ! Avec ce feu, on crève de chaud dans le salon. »

La cloche sonne. Elle continue à me regarder de son air méfiant, tandis que j'essuie mon visage. Nous descendons ensemble. Pas un mot. Mais que dire ? C'est trop tôt. Nous n'aurions pas assez de temps et je dois réfléchir. Je meurs d'envie de tout raconter à maman. Je lui en veux de ne s'être aperçue de rien. Mais je me

218

souviens des mots de Cécile : « Si tu parles, ce sera encore plus grave! »

La famille est dans la salle à manger. On nous attendait pour le bénédicité. Tout le monde remarque qu'Antoine fait le signe de croix.

Une des choses terribles de la vie, c'est de réussir si facilement à cacher à ceux qui vous sont les plus proches ce qui vous arrive de dramatique. J'ai été très naturelle. J'ai mangé normalement. J'avais faim d'ailleurs et c'était bon. J'ai écouté Antoine expliquer à grand-mère qu'un enfant autistique était un enfant qui avait rompu avec le monde. Je pensais à Frédéric. J'essayais de ne pas regarder Cécile. Elle aussi dissimulait bien. Elle était juste un peu trop sage... C'est cela qui aurait pu alerter maman. Mais ce qu'Antoine disait était tellement intéressant !

A un moment, j'ai vu sur la Poison le regard attentif d'Alexis. Lui, avait flairé quelque chose. Le couteau en suspens, il semblait l'interroger. Mais cela a été tout de suite fini.

La soirée m'a semblée interminable. J'avais ce billet d'avion dans les yeux. Je ne voyais que lui. Demain... Cécile est montée très vite. Philippa faisait du charme à Antoine qui avait regardé la gorge de Gaston et déclaré qu'elle était magnifique.

J'ai pensé à parler à Antoine. J'aurais dû. Mais je me souvenais de ce soir où j'avais été trahir Claire. Pour qui me prendrait-il si je recommençais avec Cécile?

Oncle Adrien est arrivé vers dix heures. On lui a présenté Antoine. J'ai profité de l'agitation pour monter.

La Poison dormait déjà. Elle dormait de toutes ses forces, le drap sur le nez. J'ai ouvert à nouveau le tiroir. Tant pis si elle se réveillait. Tant mieux! Le billet n'y était plus. Cela ne m'a pas étonnée.

Je me suis approchée de son lit et je l'ai regardée un moment. Dans quelle aventure s'était-elle lancée? Pourquoi? Comment? Elle semblait vraiment très petite, je veux dire jeune et désarmée; avec ce visage lisse qui fait mal quand on pense à l'avenir.

C'est plus tard que, dans son sommeil, elle a rejeté le drap et que je me suis aperçue qu'elle était tout habillée.

J'ai résolu de ne pas dormir.

CHAPITRE XXX

GABRIEL

Un craquement de plancher me réveille. Il fait tout noir.
J'ai l'impression que je viens seulement de m'endormir;
mon cœur résonne dans toute la chambre.

Plus rien. Si! Un souffle ténu; un souffle qu'on
retient, un autre cœur qui bat. Je ne bouge pas. Je
ferme même les yeux. On ne sait jamais.

La porte est ouverte avec mille précautions. Je ne le
vois pas mais je le sens, je l'éprouve comme un fourmil-
lement. La porte est ouverte. C'en est fini de mon sommeil, c'est évident. Et pourtant, en moi, tout proteste.
Je ne veux pas me lever!

Cette fois, vraiment plus rien. J'attends encore quelques secondes puis j'allume. Il est six heures.

Je me glisse hors du lit. Moi aussi, j'ai dormi tout
habillée. C'est affreux comme on se sent fripée, sale. Je
prends mes chaussures à la main et je quitte la chambre. La fatalité, c'est gris, ça a un goût de poussière. On
résiste, mais on sait qu'on cédera. Ce moment m'attendait. Il se préparait ces derniers jours. Je ne peux rien
contre lui : en un sens, je l'ai même cherché.

Une petite lumière disparaît en bas de l'escalier : la
lampe torche d'Henriette, je suppose. Je descends. La

pierre est glacée sous mes pieds : on la dirait mouillée. Je me guide à la rampe. Cécile est dans la cuisine. Elle a laissé la porte entrouverte, pas assez pour que je puisse voir quelque chose.

Il y a des bruits : une allumette qui craque, le tintement d'une casserole. Peut-être la Poison a-t-elle tout simplement faim ? Elle ne mange presque plus rien ! Et dans la famille, personne n'est contre un en-cas la nuit : « du rab qu'on prend à la vie », dit papa qui assure que lorsque tout le monde dort c'est le moment où le saucisson est le meilleur.

Mais si c'est la faim qui a mené Cécile ici, pourquoi n'allume-t-elle pas ?

Debout contre la porte, retenant mon souffle, j'hésite. Ce serait pourtant le moment d'entrer. Je la mettrais au pied du mur. Je parlerais du billet d'avion et exigerais une explication. Mais je suis fatiguée; aucune envie de me battre et s'il y a une chance, seulement une toute petite chance qu'elle remonte se coucher je veux nous la laisser !

Je me glisse dans le réduit où l'on entasse les bouteilles vides et où Henriette met à mûrir les fromages. On les sent. Surtout l'époisse qu'Antoine a entamé hier sur les ordres de grand-mère. Je m'appuie au mur. Ici, il fait un froid différent. Dans l'air prisonnier, règne comme un soleil de poussière. Que fait Cécile ? Et qu'est-ce que je fais là, moi, me cachant comme je l'ai vu faire mille fois, au cinéma ou à la télévision.

La porte de la cuisine s'ouvre et, précédée par la lumière, comme un fantôme, Cécile ressort enfin. J'ai si peur d'être repérée que je ferme les yeux. Je l'entends monter l'escalier. Elle s'arrête au premier étage. Je savais bien, au fond, qu'elle ne regagnerait pas notre chambre. Ce n'était pas pour rien qu'elle avait dormi habillée! Et quand je l'entends ouvrir la porte qui mène au jardin — elle a toujours grincé, cette porte — je suis bien obligée de sortir de ma cachette pour la suivre.

En passant dans le hall, j'attrape n'importe quel vêtement au portemanteau. Je tombe, comme par hasard,
sur la canadienne d'Antoine. Je l'enfile comme on se
venge. Elle pèse une tonne. Elle sent le vieux, l'utilisé et
au fond des poches il y a plein de bribes de tabac.

Le froid me coupe le souffle. Tout est immobile,
comme figé, tué. La nuit est prise dans le gel.

Là-bas, dans l'allée qui mène aux terrasses, la petite
lumière danse. Elle ne se dirige pas du tout comme je
m'y attendais vers la grille, les rues de Montbard. Elle
s'enfonce dans le jardin. Première terrasse. On voit
quelques lumière du côté de la gare, les deux réverbères
de la rue, et, çà et là, une fenêtre éclairée. Cela sent
encore la terre près de notre sapin nouvellement planté.
Cécile s'engage dans l'allée qui conduit aux terrasses
inférieures.

Celles-ci communiquent entre elles par de petits esca-
liers de pierre. L'un des puits est historique. Le B de
Buffon et le D de Daubenton, enlacés, sont gravés dans
la pierre. Avant, on cultivait sur ces terrasses toutes
sortes de légumes. C'était fou ce qu'il y en avait ! C'était
fou, dans la cuisine, ces bocaux de toutes les couleurs :
pois, tomates, haricots, oseille aussi parce qu'en purée,
rien de tel pour se marier avec le goût d'un poisson.

Quand le vieux jardinier est mort, on n'a retrouvé
personne qui accepte de prendre la suite. Alors, on n'a
gardé qu'une seule terrasse où se disputent Nicole et
Alexis, et le reste est en arbres fruitiers. Avec le reste,
on fait des tartes, des compotes, des clafoutis, des crê-
pes, des beignets, des confitures extras avec, parfois, un
noyau pour se casser les dents.

Tout en suivant la lumière, je me répète tout ça
comme une litanie, comme si toutes ces tartes et ces
compotes passées pouvaient me protéger du présent, ce
six heures du matin glacé où je suis ma sœur sur la

troisième terrasse en pétrissant entre mes doigts les brins de tabac d'Antoine, et soudain la lumière disparaît.

C'est tout au bout de la troisième terrasse. J'accélère. On y voit un peu grâce au réverbère de la rue, plus bas. En arrivant au mur, je comprends que Cécile est entrée dans une cabane où le jardinier rangeait ses arrosoirs, sa brouette et quelques instruments de jardinage. D'ailleurs, entre les lattes, je distingue la lumière.

Je m'arrête. Voilà ! J'y suis. Je vais entrer et je saurai. Je saurai pourquoi l'angoisse de ma sœur, ce billet d'avion, cette promenade glacée. Mais maintenant j'ai peur, affreusement peur de ce que je vais trouver, de ce que dira Cécile en me voyant et il me faut un courage immense, moi qui en ai si peu, pour pousser la porte.

Cécile est accroupie dans un coin. Au bruit, elle se retourne et crie. Elle crie de terreur et je comprends qu'elle s'attendait à voir apparaître quelqu'un de bien plus menaçant que moi puisque lorsque j'avance et qu'elle me reconnaît, elle semble infiniment soulagée; si soulagée que ses yeux se ferment et que je m'attends presque à la voir tomber.

J'entre tout à fait et, pour la raccrocher, pour lui prouver que c'est bien moi, je bredouille, en tremblant de tous mes membres : « Mais qu'est-ce que tu fais là ? »

Elle ne répond pas. La lampe, entre ses pieds, met sur son visage un masque avec des yeux sans fond.

Elle porte son anorak, des gants. Elle presse contre sa poitrine la bouteille thermos dont on se sert pour le café, quand on va en pique-nique. Il règne une odeur très désagréable.

« Ferme la porte », murmure-t-elle.

J'obéis puis je m'approche. Contre le mur, un minuscule chauffage à gaz dégage une lumière bleutée. Près d'elle, ce que j'avais pris pour un tas de vieux sacs, c'est quelqu'un !

224

Il est couché en chien de fusil sous un amas de couvertures. On ne voit apparaître que les cheveux, coupés très court. Les couvertures se soulèvent au gré de sa respiration. Mon cœur s'est mis à battre sourdement. Cécile n'a pas bougé mais son regard supplie.

« Qui est-ce ? »

Au moment où je pose ma question, il se retourne dans un grand mouvement nerveux et la couverture glisse. Je recule. Il me semble devenir folle. Dans sa veste d'uniforme gris fer des zouaves pontificaux, il est descendu tout droit d'un des cadres du salon. Il ne lui manque que le képi et la moustache pour ressembler au jeune homme qui défie le monde au-dessus du piano. Zouaves... ce mot nous faisait drôle. Il nous faisait rire. Et pourtant, c'était une histoire tragique, celle de nos oncles lointains, les deux enfants insupportables de la famille, dont personne, paraît-il, ne venait à bout mais auxquels le curé d'Ars avait prédit un grand destin ! Ces deux enfants engagés volontaires en 1870, pour aller défendre les territoires du pape. Volontaires pour la mort.

« Il avait si froid, explique Cécile d'une voix sourde. Il n'avait qu'une veste de pyjama et un vieil imper même pas à lui ! »

Je comprends, en reconnaissant d'autres choses du grenier : de vieux tapis, des couvertures mitées, une chaise bancale. Comment a-t-elle pu transporter tout cela ici sans que personne s'en aperçoive ?

Il me regarde. Ou plutôt, il regarde à travers moi quelque chose ou quelqu'un. Ses yeux sont très sombres et brûlants aussi; avec une expression égarée qui cherche.

Cécile bouge enfin; elle débouche soigneusement la bouteille thermos et s'agenouille près de lui.

« Je t'ai apporté quelque chose de chaud ! Quelque chose qui va te faire du bien. »

Elle parle comme maman lorsque nous sommes malades; avec le ton que l'on prend pour convaincre un enfant.

Le regard de l'inconnu s'est arrêté sur elle maintenant et c'est à travers elle qu'il semble poser sa question. Quand elle passe la main derrière sa tête et la soulève, il gémit.

Le visage de Cécile est déterminé. Elle serre les lèvres tandis qu'elle colle le goulot de la bouteille à la bouche crispée et commence à verser. Il secoue la tête pour échapper et le liquide coule partout sauf là où il faudrait. Je reconnais l'odeur de la soupe aux légumes d'hier.

« Il faut boire, supplie-t-elle. Il faut boire; sans ça, tu n'auras pas la force de partir. »

Je m'agenouille près d'elle. Il a de très longues mains. Elles agrippent la couverture comme s'il était en train de couler... J'essaie de récupérer le thermos.

« Mais il ne peut pas! Tu ne vois pas qu'il étouffe? »

Alors, Cécile se tourne vers moi avec un regard de colère.

« La fièvre avait baissé hier, chuchote-t-elle. Il allait vraiment presque bien. Je te promets. »

Mais comme pour la contredire, il se met à tousser et on voit comme cela l'arrache. Il ne peut plus s'arrêter. J'ai peur de voir du sang. J'ai peur de ce qu'elle a fait, de ce qui va arriver.

« Il faut avertir quelqu'un! On ne peut pas le laisser comme ça. Tu es folle. Il est malade. Qui est-ce? »

Elle s'est relevée. Dans son regard, c'est presque de la haine maintenant.

« Je t'interdis d'avertir quelqu'un. J'ai promis. »

Je me tais. Elle répète :

« J'ai promis! J'ai promis! » Et voilà les sanglots. Ils viennent de loin. Elle a dû les retenir longtemps pour qu'ils soient si forts, si profonds. Elle sanglote comme il toussait; et remonte les couvertures sur lui, et le cache, et caresse ses cheveux et, lorsqu'une nouvelle quinte le secoue, lance la bouteille au loin et va à l'autre bout de la cabane les mains sur les oreilles pour ne plus l'entendre.

Je m'approche. Je la prends contre moi. Je supplie : « Calme-toi. » Je promets : « Je t'aiderai. » Nous nous laissons tomber près de la lumière bleue qui chauffe quand même un peu. Elle tremble dans mes bras. Lui, sous les couvertures, il respire très fort comme on lutte.

Et je me souviens que j'ai regardé ma montre. Il était presque sept heures. Je me suis dit qu'Henriette allait bientôt descendre pour allumer son fourneau. J'ai imaginé sa natte grise, l'odeur du café, celle du pain grillé, l'odeur de tous les jours.

Cécile s'est enfin décidé à parler.

CHAPITRE XXXI

SECRET PROFESSIONNEL!

IL s'appelle Gabriel, comme l'ange. Elle l'a rencontré avec Gaston, le lendemain de notre arrivée à Montbard, lors de leur première promenade. Les promenades, au début, c'était vrai!

Il se cachait sous un tunnel : un vieux tunnel désaffecté plein de champignons au mur, de mystère et d'odeurs, où avec Gaston, Cécile a toujours aimé se faire peur.

Peur? Ils en ont eu une belle quand ils sont tombés sur lui. Et lui aussi, d'ailleurs. Ils ont cru à un animal jusqu'à ce qu'il soit pris d'une quinte de toux qui résonnait là-dessous comme un orage. C'est à cause de cette toux qu'elle est restée alors que, de panique, Gaston avait déjà fait à la course à pied un kilomètre vers la maison.

Elle avait dans sa poche des pastilles pour la gorge; elle lui en a offert. Elle a bien vu qu'il les mangeait par faim. Elle avait aussi un bout de chocolat qui a suivi le même chemin.

Après, elle l'a apprivoisé. Quand elle apprivoise quelqu'un, Cécile pense toujours à la leçon que le renard, dans le livre, donnait au Petit Prince et elle prend son temps. Elle s'est assise à côté de lui et a laissé venir. Il a fini par lui raconter son histoire.

Il a vingt ans. Ses parents l'ont laissé tomber. Il a échoué dans un centre de rééducation, pas loin d'ici. Il n'en pouvait plus. Ça montait, ça montait. Il a profité d'un séjour à l'infirmerie pour se barrer, la nuit, dans l'imperméable d'un surveillant. C'était ça ou crever.

Elle dit « crever » plus bas, avec un regard vers lui comme si elle craignait qu'il entende.

Son but, c'était Marseille. Mais il n'avait pas d'argent pour y aller, ni de vêtements corrects, ni rien. Les vêtements corrects, c'était important! Elle m'expliquera...

Il n'osait pas sortir de son tunnel. Il avait failli y mourir de froid la nuit d'avant. Le pire, c'était l'eau, l'eau partout, sur le sol et aux murs; il disait qu'on avait l'impression d'être dans une rivière. Mais quand elle lui avait proposé de le ramener à la maison, elle avait cru qu'il allait s'enfuir. C'est à ce moment-là qu'il lui avait fait jurer de ne parler de lui à personne.

« Si tu avais vu ses yeux! On aurait dit ceux du chien de Mme Cadillac, tu sais, Poulbot, qui avait commencé par un mauvais maître! »

Poulbot avait été battu, petit, et quand on l'approchait, il s'en allait à reculons avec un regard qui disait : « Ne me tuez pas! »

Cécile s'est souvenue de cette cabane et la lui a proposée. Au moins, il n'y serait plus dans la rivière. Et elle lui procurerait des vêtements et un rasoir dont il avait vraiment besoin. Il a accepté, pour une nuit. Gaston a fait le guet pendant qu'elle l'introduisait dans le jardin. Ils ont eu une belle peur quand Henriette est passée tout près pour aller cueillir des feuilles de laurier!

Pour les vêtements, cela n'a pas été possible! Oncle Alexis ferme sa chambre à clef de peur qu'on lui prenne une épingle; papa n'avait emporté que ceux qu'il avait sur son dos; elle a dû se débrouiller avec la malle du grenier. Elle avait le choix entre les soutanes, un habit de général et la veste de zouave. La veste de zouave, c'était la seule chose en laine et pour le voyage il n'aurait qu'à mettre son imperméable dessus.

Mais le lendemain, la fièvre avait monté et il ne tenait plus sur ses jambes. Noël et l'enveloppe de grand-mère n'étaient pas encore arrivés, alors elle a pioché dans les économies d'Henriette, dans toutes ces pièces de cinq et dix francs et même deux de cinquante, qu'elle garde dans un vieux bocal à cornichons pour avoir une belle tombe. Et elle a acheté le plus urgent : chauffage et suppositoires contre la grippe.

Comme si elle n'avait pas assez de soucis comme ça, il y avait ce salaud de Gaston qui prenait de plus en plus peur et voulait tout dire à grand-mère. Elle le menaçait des pires représailles, alors, pour fuir ses responsabilités, il faisait une chose qu'elle ne lui pardonnera jamais! Il transportait le thermomètre qui avait servi à Gabriel et faisait croire à sa mère qu'il avait de la fièvre afin de trouver asile dans son lit.

Et Cécile se retrouvait seule! Avant-hier, elle lui avait dit que Gabriel était parti; elle avait trop peur qu'il trahisse! Gaston avait guéri dans l'instant. De sa vie, elle ne lui adresserait plus la parole.

Je regarde le tas de couvertures. Je murmure :

« Et maintenant?

— Il faut qu'il aille à Marseille, dit-elle d'une voix têtue. C'est très important pour lui. J'ai tout arrangé. »

Elle se lève, va glisser la main sous les couvertures et en sort un vieux portefeuille qu'elle me rapporte. Elle en tire une photo. On s'approche de la lampe pour voir. C'est le portrait d'une petite fille plutôt laide mais pas antipathique du tout.

« Sa sœur. Elle est en nourrice là-bas depuis quatre ans. Il a peur qu'on lui dise du mal de lui. Il veut la

230

retrouver : être bien et tout, pour rectifier. Après, il dit que le monde peut exploser. »

Elle remet la photo en place. Elle n'a pas l'air de se rendre compte qu'il est incapable de partir, son Gabriel. A moins qu'elle ne parle ainsi pour se rassurer.

« Et l'avion ? »

Pas un cillement. Elle avait très bien compris que j'avais découvert le billet.

« Il avait peur que les gares soient surveillées. C'est pour cet après-midi. »

Son ton a un peu fléchi. J'insiste :

« Mais comment va-t-il y aller ? »

Je pensais la blesser, son regard s'éclaire soudain. Elle vient d'avoir une idée. On a toujours pu tout lire sur le visage de Cécile.

« Si tu prenais la voiture d'Alexis ? Tu ne lui dis rien ? On part en douce. Dijon, ce n'est pas si loin ! On le conduit toutes les deux à l'aéroport. Après on s'en fout. »

Je me détourne. Tant d'espoir dans son regard !

« Je ne sais pas assez bien conduire. Et il ne sera jamais capable de marcher jusqu'à l'avion. Il faut prévenir quelqu'un. Il faut le soigner.

— Quelqu'un ? » dit Cécile.

Ses yeux sont à nouveau très sombres.

« Si on le renvoie dans son centre, il se bute ! On le soigne. On le guérit, et après : un mois de cellule pour tentative d'évasion. C'est la règle. »

La cellule ! Elle en parle avec effroi, comme si elle connaissait. Cécile n'a jamais pu supporter l'idée de gens mis sous clef. Toute petite, on la retrouvait dans les placards. Elle voulait savoir... se préparer. Se préparer ?

Je ne sais plus que dire. Sous la couverture, il a l'air d'étouffer quand il tousse. J'ai envie de courir vers la maison, de sonner la cloche, d'appeler au secours.

« Et si on le cachait dans la maison ? propose Cécile. On le transporterait dans la brouette. Il doit pas être tellement plus lourd qu'un sapin !

— Ça ne réglera rien. Il faut le soigner. Ecoute : prévenons Antoine ! »

Je l'ai proposé sans y croire; certaine qu'elle allait refuser. Elle ne répond pas. Elle s'est tournée vers Gabriel comme si elle voulait lui demander la permission. De nouveau, les larmes coulent mais autrement, sans révolte. Je pense qu'elle n'en pouvait vraiment plus. Qu'elle en avait vraiment assez. Elle a résisté tant qu'elle a pu. C'est souvent comme ça. On a l'impression que les gens ne céderont jamais et ils n'attendaient qu'une occasion, un coup de pouce pour craquer. On appelle ça « craquer ». Cela veut dire pouvoir redevenir soi. Enfin !

Cécile est redevenue une petite fille de douze ans qui a peur pour Gabriel; qui s'affole de ce qu'elle a fait.

« Il y a le secret professionnel, dis-je. Antoine n'a pas le droit de dénoncer un malade. »

Elle se lève : « Tu es sûre ? »

J'acquiesce. Elle va vers Gabriel et se penche sur lui.

« Je reviens ! Si tu vois quelqu'un de nouveau avec moi, n'aie pas peur. Pense au secret professionnel. »

Nous quittons la cabane. Elle referme la porte à clef : la grosse clef avec une étiquette que le jardinier de grand-mère portait toujours sur lui de crainte qu'on lui prenne ses outils. J'aimais la façon dont il disait : « mes outils », comme il aurait dit « ma vie ».

Il fait gris maintenant et le silence est moins profond. Tout est mouillé. Nous courons. Avant d'arriver à la maison, elle chuchote et je sens un sourire dans sa voix.

« Pour les économies d'Henriette, j'ai tout remis dans le bocal après Noël; mais j'ai pas eu le temps de faire la monnaie. Est-ce que tu crois qu'elle va penser à un miracle ? »

Antoine dort à poings fermés. Il met un moment à réaliser qui est là. Il se redresse enfin, regarde sa montre et grimace : « Qu'est-ce qui se passe ? En voilà des mines de comploteuses ! »

Il doit remarquer que la plus petite des comploteuses n'arrive pas à sortir un son, qu'elle a la bouche toute tordue comme lorsqu'on s'empêche de pleurer et que l'autre ne vaut guère mieux. Son sourire s'efface. Il s'assoit sur son lit.

Je raconte. Pas trop fort parce qu'Alexis dort à côté et que les gens à demi sourds entendent toujours ce qu'il ne faut pas et jamais ce qu'il faut. Dès que je dis que Gabriel a la fièvre et qu'il tousse, il se lève.

« Continue. Je t'écoute. »

Il attrape son pantalon et passe dans le petit cabinet de toilette dont il laisse la porte ouverte. Quand j'ai fini, il est habillé. Lavage de mains, brossage d'ongles. S'il savait ce qu'il va trouver ! Sa petite trousse, et on y va. Il n'a rien dit pour sa canadienne.

En passant, nous voyons que c'est allumé dans la cuisine. Henriette ! Nous marchons vite. Le jour blanchit. C'est comme une guérison. Cécile a retrouvé sa voix et n'arrête plus de monologuer, mêlant tout : la police, le Centre, Jésus, la soupe, l'avion, la toux. Elle parle plusieurs fois du secret professionnel. Antoine ne répond pas. Il a posé la main sur son épaule.

Quand elle lui montre la cabane tout enveloppée de brume en disant que c'est là, il ne fait aucun commentaire. Il laisse la porte ouverte. D'un grand geste, il balaie tout ce qui se trouve sur une vieille caisse, la tire près du tas de couvertures et s'y assoit. Il tâte le front de Gabriel, soulève sa paupière, prend son pouls, c'est tout ! Il n'ouvre même pas sa trousse. Il se relève aussitôt et se tourne vers la Poison.

« Va réveiller Alexis ! Dis-lui de sortir sa voiture. Il faut l'emmener à l'hôpital. »

Cécile est paralysée. Elle le regarde et me regarde, retenant son souffle. L'hôpital ?

« On ne peut pas le soigner à la maison ? bredouille-t-elle.

— On n'aura pas ce qu'il faut, dit Antoine de sa voix calme. Il est très malade. Fais vite ! »

Elle file. Je la vois courir dans l'allée, trébucher. J'ai honte. En disant qu'il fallait avertir Antoine, je me doutais bien, qu'au bout, il y aurait l'hôpital.

« Aide-moi, dit-il. On va le monter. »

Il le soulève pour l'enrouler dans des couvertures. On ne devrait pas penser à ces choses-là mais l'odeur est atroce.

« On le changera là-bas. »

Gabriel gémit. Sa main agrippe la manche d'Antoine.

« Ne vous en faites pas, mon vieux. On va vous soigner. »

Le ton d'Antoine est différent de celui qu'il employait tout à l'heure avec Cécile. Plus autoritaire. Mais plus gris aussi.

« On va vous tirer de là ! Vous serez bientôt bien au chaud dans un lit. »

Je me demande pourquoi il explique tout ça à quelqu'un qui ne peut entendre. Puis je me souviens de ce que papa m'a dit : on ne peut jamais être tout à fait certain que les gens n'entendent pas. Il y en a même qu'on croit morts et qui, revenus à la vie, vous répètent tout ce qu'on a dit, ce qui est parfois gênant lorsqu'on a parlé par exemple de l'héritage ou du costume qu'on choisirait pour l'enterrement.

J'aide Antoine à le redresser. La couverture entoure aussi la tête. C'est comme une momie. Il ne tient pas sur ses jambes bien entendu. Antoine le prend par la taille. Je fais ce que je peux de l'autre côté. Nous quittons la cabane. Il est très lourd, mes mains sont glacées, j'ai l'impression que nous n'y arriverons jamais. Je serre les dents. J'aimerais tant aller plus haut, plus haut que moi, que tout, pour une fois.

Nous montons les premières marches. Un jour, on a ramassé Paul sur la route et on l'a porté, lui aussi, vers un hôpital. Et lui aussi, peut-être, gémissait. J'ai mal pour lui. J'ai mal il y a dix ans. Je lui pardonne un peu de m'avoir déçue.

Nous nous arrêtons un moment avant le second escalier.

« Ça va ? demande Antoine.

— Ça va !

— Tu ne vas pas prendre froid, au moins !

— Avec ta canadienne ? »

Il me regarde, profond, et tout y est ! Les deux visites que je lui ai faites, ce dont j'avais rêvé. Claire. Tout. Même ce qui aurait pu exister. Même ce qui n'existera jamais.

Le bruit de la deux-chevaux d'Alexis, là-haut, fait voler le moment en éclats. « On y va ! » Nous montons les dernières marches d'une traite.

Alexis a mis sa grosse veste de chasse. Sa voiture dégage un tas de fumée : lui aussi ! Il vient directement prendre ma place.

« Elle est déjà à peu près chaude, dit-il brièvement. Où on le met ?

— Sur la banquette arrière », ordonne Antoine.

Cécile a déjà ouvert la portière. C'est difficile d'y entrer quelqu'un de complètement abandonné. Je me charge des pieds. La couverture s'est écartée et l'uniforme apparaît. Alexis regarde, plisse les yeux mais ne dit rien. Pourtant, je suis sûre que ça lui fait un coup.

« L'hôpital est loin d'ici ? interroge Antoine.

— Pas tellement, dit Alexis. Et je connais un raccourci.

— Prenez le volant. Je resterai à côté de lui. »

Avant de monter, il se souvient de Cécile. La Poison fixe Gabriel. Ou plutôt, elle fixe, entre la chaussure et le pantalon, la cheville nue, si nue, si mince, maigre, blanche et fragile. La cheville de tout le monde. La cheville de tous les enfants, avec ou sans parents, dans un centre de rééducation ou non. Elle ne bouge pas mais les larmes coulent.

« La seule chose qui compte, lui dit Antoine, c'est de le tirer de là, d'accord ?

— D'accord », hoquette-t-elle.

Alexis est déjà au volant. Antoine hésite.

« Monte devant », dit-il soudain.

Cécile se précipite. Il se tourne vers moi.

« Toi, tu devrais avertir ta mère. »

La voiture démarre. « Toi » reste immobile, abandonnée, frigorifiée. Le bruit de sirène descend la côte, s'enfonce dans la brume posée sur les pelouses. Le tronc des arbres est brun foncé. On a peine à croire qu'un jour, ce sera l'été. Ils sont dans la rue maintenant. Ils vont bientôt tourner à droite. Ils longent le grand magasin. Ils passent près de la crémerie. Bientôt, la pâtisserie.

Quand Alexis nous y descendait en voiture, on criait « plus vite, plus vite oncle Alexis » et il accélérait dans le tournant pour nous faire peur. Je commençais toujours par manger une figue à cause de la couleur et de son aspect velouté.

Vite ! Plus vite, oncle Alexis !

CHAPITRE XXXII

LE DROIT D'ASILE

J'ai dit à maman que depuis trois mois, fin septembre exactement, tout le monde n'en avait que pour la Princesse! Que même si son cas était passionnant, bouleversant, épineux et tout ce qu'on veut, ça n'empêchait pas les autres d'avoir leurs problèmes! Que vivre les yeux fixés sur une seule personne et le reste du temps complotant je ne sais quoi avec grand-mère vous rendait aveugle à des choses importantes, vitales.

Je lui ai fait remarquer que depuis que nous étions à Montbard, pas une seule fois elle n'avait demandé à Cécile, ni à moi d'ailleurs — mais moi c'était le dernier de mes soucis — quels étaient nos projets pour la journée, et si on allait bien, si on était heureuses, et si personne ne nous décevait d'une façon ou d'une autre. Cela ne voulait pas dire qu'on aurait répondu d'ailleurs, mais quand même! S'intéresser aux autres, dans une communauté, ça se fait!

Maman ne répondait rien. Son visage démaquillé montrait sa fatigue et son âge. Elle était assise dans son lit et n'arrêtait pas de passer le doigt sur les deux beaux chiffres brodés du drap.

J'ai tout raconté, depuis le tunnel suintant jusqu'à la cabane gelée. J'avais toujours sur le dos la foutue canadienne d'Antoine et maintenant j'étouffais mais je ne sais pas pourquoi, il n'aurait pas fallu me demander de la retirer!

. Nous avons entendu Nicole descendre doucement l'escalier. Elle part toujours tôt à son travail. Elle dit que, pour les gens dont elle s'occupe, le réveil, c'est souvent le moment le pire.

Puis la cloche du petit déjeuner a annoncé qu'il était neuf heures moins le quart. Nous n'avons pas bougé. Cela faisait du bien de se dire qu'au moins, on était d'accord pour ne pas respecter les horaires.

Quand j'ai eu terminé, maman a simplement dit à mi-voix, un peu comme une prière : « Pourvu qu'il s'en tire! Oh! pourvu! » « S'en tirer », cela voulait dire pas seulement pour la maladie puisqu'elle a ajouté : « On l'aidera tant qu'on pourra après. Sois tranquille! »

Elle m'a demandé son âge. Je l'ai rajeuni, je ne sais pas pour quelle raison. J'ai dit : « Dix-huit ans. » Mon âge. Je revoyais sa cheville en le disant.

Elle s'est levée d'un air fatigué et elle a enfilé sa robe de chambre de voyage; plus belle que celle de *La Marette,* on se demande pourquoi. Etais-je d'accord pour que nous allions tout de suite raconter Gabriel à grand-mère? Elle nous en voudrait beaucoup si elle apprenait cette histoire par d'autres. Grand-mère a toujours pensé que lorsqu'on partageait le pain, on devait partager le reste.

C'était bien mon avis. Sauf avec la Princesse, cela faisait un moment que nous ne partagions que le pain.

Quand nous sommes entrées, les rideaux étaient déjà ouverts et grand-mère s'apprêtait à descendre. Elle n'avait plus qu'à mettre son eau de Cologne : le premier devoir d'une vieille dame étant de sentir bon. Le plateau du petit déjeuner était intact sur le lit.

Henriette quittait juste la chambre; dans tous ses états. Il manquait, paraît-il, presque tout le monde à la salle à manger. Elle n'avait vu obéir à la cloche que Bernadette, Philippa, Adrien et Gaston. Que Claire reste au lit, elle comprenait! Mais les autres? Mais Alexis, Antoine, Cécile, maman, moi?

Henriette déteste que l'on soit en retard à cause du pain qui durcit et du beurre qui mollit sans compter la peau sur le lait et le café qui n'est pas si bon réchauffé. Et ce n'était pas tout! Ce matin, elle avait trouvé dans son évier une casserole sale et trois allumettes gaspillées. Elle voulait bien accepter que ses menus soient insuffisants à nous rassasier mais elle demandait qu'au moins on fasse la vaisselle des repas supplémentaires qui nous permettaient de ne pas mourir de faim.

Maman a fait asseoir grand-mère dans le fauteuil à haut dossier où elle appuie sa tête sur un carré de dentelle immaculée; et après lui avoir fait promettre de rester calme, elle lui a tout raconté, en n'omettant que l'uniforme de zouave qui est une relique sacrée.

Grand-mère a commencé par se mettre en colère contre moi. Alors, à quoi servait-elle? Je couchais à côté, une simple paroi nous séparait, et rien? Est-ce que je ne la considérais plus, par hasard, que comme une vieille potiche?

Je n'ai pas répondu. J'avais envie de mettre une couverture sur ma tête et de ne plus respirer.

On en était là quand on a entendu la sirène de la deux-chevaux dans l'allée et nous nous sommes précipitées toutes les trois à la fenêtre.

Alexis était déjà sorti mais la portière restait fermée du côté de Cécile. Il a fallu, pour qu'elle apparaisse enfin, qu'il l'ouvre lui-même et lui tende longtemps la main. Elle regardait le sol. Il ne l'a pas lâchée tandis qu'ils se dirigeaient côte à côte vers l'escalier.

« On y va! » a dit grand-mère.

Elle a entraîné maman vers la porte. J'ai fermé la marche avec le plateau.

Dans la salle à manger, c'est le grand silence! L'œil plein de reproche, Henriette regarde Alexis qui étale sa serviette sur ses genoux. Sa veste est sur le dossier de sa chaise ce qui n'est généralement pas admis par grand-mère. Le froid l'a fait pleurer. Ses joues sont pleines de barbe, ses cheveux comme le vent a voulu. Il a l'air d'un homme qui vient d'avoir un accident.

Cécile a gardé son anorak et même ses gants. Bernadette est tournée vers elle, semblant essayer de comprendre ce qui se passe. Philippa trône comme d'habitude entre son mari et son fils devant son pot de miel spécial et ses biscottes sans sel. Le plus intéressant, c'est Gaston. Ecarlate, il fixe Cécile. On dirait qu'il lui pose une question mais la Poison l'ignore. Il n'existe plus pour elle.

Maman passe devant, va droit à Cécile, prend son front entre ses mains et l'embrasse très fort en la regardant dans les yeux, c'est tout.

En voyant entrer grand-mère, tout le monde s'est levé. Elle adresse un bonjour général et va s'installer à sa place comme si elle prenait tous les matins son petit déjeuner avec nous.

Je pose le plateau devant elle. Elle l'écarte et fait signe à Henriette.

« Ma petite Henriette! Aujourd'hui, je prendrai du café. »

Cela a été déclaré d'un tel ton que personne n'ose protester. Grand-mère se tourne vers Alexis, autoritaire.

« Quelles nouvelles?

— Pas brillant, dit-il. Pleurésie. Antoine doit nous appeler.

— Qu'est-ce qui se passe? interroge Bernadette. De qui parlez-vous? »

Le regard anxieux de Cécile nous supplie de ne rien trahir.

« Un jeune, dit maman, qu'on a dû emmener d'urgence à l'hôpital. Et dont Antoine s'occupe. »

Bernadette sent qu'il vaut mieux ne pas insister. Sa biscotte en suspens, Philippa nous regarde les uns après les autres.

« Un jeune ? Quel jeune ? »

Gaston a toujours les yeux fixés sur Cécile qui continue à l'ignorer.

« Très gentil », dit-il.

Sa voix est incroyablement enrouée. C'est l'émotion. Cécile a relevé la tête, incrédule. Il fuyait les complications et voilà qu'il s'y jette sans qu'on lui demande rien.

« Même très, très gentil », répète-t-il d'une voix têtue.

Oncle Adrien, comme toujours sur la réserve lorsque sa femme est présente, regarde son fils d'un air extrêmement intéressé.

Tante Philippa pose sa biscotte et tourne vers Gaston le long nez qui est, paraît-il, le nez racé de SA famille mais dont les narines sont si pincées que c'est forcément râpé pour les odeurs.

« Comment le sais-tu ?

— J'étais avec Cécile quand on l'a trouvé sous le tunnel, dit-il et...

— Ta gueule ! interrompt Cécile. Trop c'est trop ! »

Philippa a un sursaut d'indignation. Elle foudroie la Poison.

« Comment ? Que doit-il cacher à sa mère ? Qu'est-ce que nous n'avons pas le droit de savoir ? »

Le bol d'Alexis tinte sur l'assiette.

« Milliards de dieux, rugit-il, on l'a assez attendu, ce café ! Est-ce qu'on ne pourrait pas l'apprécier en paix ? »

Grand-mère fronce le sourcil au juron mais acquiesce à l'idée. Cela fait sur son visage un curieux mélange. Philippa revient à Cécile.

« Vous avez donc trouvé ce jeune sous un tunnel ? »

Je vois que Cécile n'a plus du tout envie de pleurer. Finalement, elle lui fait du bien, Philippa ! Là-bas, à l'hôpital, luttant, Gabriel. Ici, cette crétine bornée.

« C'est ça, dit-elle. Et comme c'est l'hiver et qu'il fait froid, on l'a ramené ici.

— Ici ? »

C'est presque comique, tant d'indignation.

« Enfin, dans le jardin, dit maman.

— Avec l'aide de mon fils, je suppose !

— Evidemment, dit Gaston, les yeux toujours fixés sur la Poison. Moi, je faisais le guet. »

Philippa nous regarde tous. Elle a toujours filtré de très près les fréquentations de sa famille. Il y a son « milieu » et, tout autour, à tenir à l'écart, à bout de bras, à bout de lèvres, les autres. Les copains de Gaston portent des cravates et baisent les mains des femmes mariées, eh, oui ! ça existe encore. Même s'ils font, paraît-il des concours à celui qui, ce faisant, proférera à mi-voix, l'insulte la pire.

« Et ce jeune, avant le tunnel, d'où venait-il ? poursuit Philippa.

— Comment savoir ? dit grand-mère, avec tous ces chômeurs partout ! »

Elle n'a jamais été contre le mensonge à condition qu'il soit « pieux », c'est-à-dire émis dans l'intention sincère d'éviter des ennuis à autrui.

« Ça ne sert à rien de connaître par cœur son livre de messe si c'est pour faire le contraire de ce qu'il y a écrit dedans », dit Cécile qui, depuis quelques secondes, donne l'impression d'avoir envie de casser toute la vaisselle sur la tête de notre chère tante.

Maman essaie de rattraper les choses.

« Ils ont voulu aider quelqu'un en difficulté. C'est normal !

— Si vous trouvez normal que votre fille ramène

n'importe qui dans votre foyer, dit Philippa entre ses dents, libre à vous. Libre à moi de refuser qu'elle entraîne mon fils dans ce genre d'expédition. Je suppose que vous n'avez pas entendu parler de délinquants et de drogués...

— Philippa! dit grand-mère d'une voix redoutablement douce. On entend ce que l'on veut entendre. Apprenez donc à juger avec votre cœur plutôt qu'avec vos oreilles. Je ne regrette personnellement qu'une chose : que Cécile ne m'ait pas parlé de ce jeune homme; je me serais fait une joie de l'accueillir à cette table. »

Les yeux de Philippa se sont agrandis.

« Avec nos enfants?

— Ces enfants, dit oncle Adrien, ne vivront pas toute leur vie sous votre jupe? »

Il l'a dit très calmement mais son regard étincelle. Gaston part d'un éclat de rire émerveillé. On ne peut pas lui en vouloir. C'est l'âge! Il rit n'importe quand et je suppose qu'il imagine les jupes de sa mère, si serrées qu'il serait difficile de se glisser dessous.

Philippa regarde son imbécile de fils. Elle s'apprête à le gronder lorsqu'il lui revient quelque chose. De dramatique apparemment.

« Ta gorge! C'est de lui que tu as pris ton mal de gorge! »

Volant sur les traces de son père, Gaston ne se connaît plus.

« J'ai pas eu vraiment mal. J'ai fait semblant parce que j'avais peur de vous. »

C'est la vérité si nue et dite si simplement, avec ce « vous » que personne n'a toujours pu avaler dans la famille, que le silence, quelques secondes, tombe, plein d'incrédulité et de rires retenus.

Philippa se lève. On la sent au bord de la crise et j'ai pitié quand même. Elle est terriblement vexée. Lorsqu'on est vexé, on devient méchant si on en a la possibilité.

· « D'abord Claire! siffle-t-elle en regardant maman, enceinte d'on ne sait qui mais vous trouvez tous ça très bien! Et maintenant ce... clochard! »

Elle se tourne vers Gaston!

« Tu as bien fait de ne rien me dire. J'aurais averti la police. »

Le regard de Cécile, suppliant, appelle grand-mère à l'aide.

Grand-mère est à demi levée, le poing serré sur la table. Sous la douceur de sa voix, plein d'orage.

« Ma chère Philippa, si je me souviens bien, l'ancêtre dont vous êtes si fière, Anthime de Verdorin, considérait le droit d'asile comme le premier devoir à exercer par sa famille. L'auriez-vous oublié? »

Atteinte dans ses racines, Philippa blêmit.

« Je ne me ferai pas insulter davantage! »

Elle fait signe à Gaston.

« Venez! »

Gaston attrape son bol et y plonge tout son visage. Puis il reste comme ça.

Il y a un moment si intense, de gêne et de plaisir, qu'on pourrait le toucher.

« Vous ne venez pas? » demande Philippa d'un ton menaçant.

Le bol avance encore d'un cran. Philippa se tourne alors vers son mari.

« Et vous! Vous laissez faire? »

Tranquillement, oncle Adrien sort de sa poche les clefs de sa voiture et les tend à sa femme.

« Moi, je vous conseille de rentrer à Dijon auprès de votre mère, dit-il. Vous regrettiez, je crois, de ne pas passer le réveillon avec elle; il vous sera certainement beaucoup plus agréable que celui d'ici? »

La voix est calme, mais le regard assassine.

Henriette, qui n'arrête pas de faire entre la salle à manger et la cuisine des voyages inutiles afin de suivre le débat, approuve de tout son être. Elle n'aime pas Philippa qui laisse toujours sur le bord de son assiette croûtons, ail, crème ou champignons, ce qui donne l'âme aux mets.

Tante Philippa se tourne vers grand-mère.

« Votre fils...

— Dans des moments comme celui que nous vivons, coupe grand-mère, il est indispensable d'être tous bien d'accord; mon fils a parfaitement raison. »

Philippa prend les clefs et sort en laissant la porte ouverte, ce qui est sa façon de la claquer. On entend son pas dans le couloir.

Il y a comme un soupir général. Gaston relève un visage congestionné de son bol. On voit seulement combien il a eu peur! Oncle Adrien l'ébouriffe des deux mains. Mais c'est Cécile que Gaston regarde. La Poison a toujours son anorak refermé jusqu'au cou. Elle daigne lui sourire avant de retirer ses gants.

« Il y a une chose que j'aimerais bien savoir, demande Henriette d'un ton concentré, c'est si le foie gras que le docteur Moreau doit nous apporter ce soir est prévu pour le réveillon ou pour le déjeuner de demain.

— Il faudrait déjà être sûr que le docteur Moreau ne l'oubliera pas », soupire grand-mère.

Elle attrape sa tasse de café.

« En tout cas, il y en a un là-haut à qui j'ai sûrement procuré une grande joie, déclare-t-elle en levant les yeux au ciel, c'est ce brave Anthime de Verdorin! »

Le rire de Bernadette déclenche les nôtres : celui de Cécile y compris! Et, tout compte fait, c'est dans quelque chose qui ressemble à l'espoir que s'achève ce petit déjeuner.

CHAPITRE XXXIII

L'AVION DE 16 H 10

J'ai rempli la baignoire d'eau bien chaude, de paix et d'oubli et, toutes issues fermées, je m'y suis plongée.

J'y suis restée longtemps, les yeux clos, en essayant d'être dans la mer, autrefois, quand papa devait, paraît-il, m'en sortir de force tellement j'aimais ça, l'eau, le ciel, le sable et ce bercement.

La maison était tout à fait silencieuse. Si j'entrouvrais les yeux, je voyais le blaireau d'oncle Alexis, sa brosse en écaille et, pendue derrière la porte, la fameuse chemise de nuit de coton écru. Gabriel est peu à peu devenu quelque chose d'impossible.

Vers onze heures je crois, Bernadette est venue voir si je n'étais pas morte. Je lui ai ouvert. Le bout de mes doigts était rose et fripé; on ne met pas longtemps à se détériorer ! Elle m'a fait remarquer un gros point de beauté sous mon sein droit.

« On risque de t'en parler beaucoup de celui-là ! »

Cela m'a fait rire : « Il faut bien avoir des points de repères ! »

Elle a déclaré que, désormais, ce serait le nom qu'elle donnerait aux points de beauté : des « points de repères. »

A part ça, Philippa était bel et bien partie mais personne n'osait encore y croire. On redoutait une fausse sortie bien qu'elle ait emporté son pot de miel spécial. Oncle Adrien n'était pas du tout tranquille pour sa voiture; elle lui a déjà assassiné plusieurs boîtes de vitesse.

Bernadette m'a appris aussi que Nicole était rentrée et qu'on lui avait tout raconté en même temps qu'à Claire. Nicole connaissait le Centre d'où s'était échappé Gabriel. Un centre très correct, paraît-il! Seulement, correct, ou non, il y a toujours, au cœur de ceux qui y sont enfermés, cette impression d'avoir été abandonné du monde.

Dehors, il y avait un ciel bleu et du soleil plein la pelouse; la brume, c'est toujours bon signe! Dans l'allée, nous avons croisé oncle Alexis et Claire. Sans nouvelles d'Antoine, ils allaient le retrouver à l'hôpital. Ils essaieraient de le ramener pour déjeuner. J'ai remercié oncle Alexis pour sa baignoire.

« Elle est à toi », a-t-il dit drôlement.

Le reste de la famille était dans le salon. Assise sur un tabouret, devant la cheminée, toujours en anorak, Cécile lançait dans le feu des brindilles qu'elle regardait se tordre. A plat ventre sur le tapis, Gaston ne la quittait pas des yeux. On les sentait à nouveau ensemble.

Maman m'a appelée près d'elle. Elle m'a expliqué que ce que j'appelais : « les complots avec grand-mère », étaient un projet qu'elles nourrissaient pour Claire. Grand-mère désirait la garder à Montbard. Elle pensait qu'à tous points de vue, ce serait mieux pour elle d'y avoir son enfant. Claire semblait plutôt tentée mais avait demandé à réfléchir.

« Ces « tous points de vue-là », ça veut dire qu'elle veut l'avoir en cachette, a grommelé la Poison sans lâcher son feu des yeux.

— Ça veut dire qu'elle l'aura sans soucis et dans la

paix, a rectifié maman. Quant à cacher sa venue, il n'en est pas question !

— Alors, est-ce que je pourrai l'annoncer à Grosso-modo en rentrant ? » a demandé Cécile avec défi.

Grossomodo ça veut dire en quelques heures, tout Mareuil au courant.

« Pourquoi pas ? a dit maman. Mais si tu le permets, nous annoncerons ensemble cette bonne nouvelle ! »

Lorsqu'Antoine est entré, on a tout de suite compris que ça n'allait pas. Il avait l'air trop calme, l'air d'avoir préparé des phrases. Les yeux de Claire étaient rouges; quant à Alexis, il est allé à la fenêtre et il a commencé à faire sauter son couteau dans sa main en tournant le dos à tout le monde.

C'est à Cécile qu'Antoine s'est adressé. Elle ne demandait rien, pourtant. Elle s'était contentée de le regarder brièvement quand il était entré.

Il lui a dit que lorsque Gabriel s'était enfui du Centre, il était déjà très atteint, sous antibiotiques à haute dose, en instance de départ pour la montagne. Sans doute ce départ était-il la raison pour laquelle il s'était sauvé.

« Il s'est sauvé pour aller voir sa sœur à Marseille, a dit Cécile d'un ton sec. Et quand il aura rectifié les choses avec elle, quand il lui aura montré qu'il n'est pas un salaud comme ces imbéciles, qui n'y comprennent rien, doivent lui seriner là-bas, alors le monde peut exploser !

— Je n'ai pas dit le contraire », a murmuré Antoine.

J'ai pensé : « Voir sa sœur avant de mourir. » C'était très clair. Quand on meurt, en un sens, le monde explose. Gabriel avait compris qu'il était fichu. C'était cette idée qui me faisait le plus mal. Je veux bien qu'on meure jeune, mais sans le savoir, par accident, en tout cas, pas à petit feu.

Cécile s'est levée.

« Alors, il va crever?

— On fait tout ce qu'on peut pour lui », a répondu Antoine.

Il est venu près de Cécile et il a voulu poser la main sur son épaule. Elle s'est dérobée.

« Je connais! C'est toujours ce qu'on dit quand c'est foutu. »

J'ai regardé Claire et j'ai compris que la Poison avait bien deviné. Maman était toute pâle. Elle devait penser à Jean-Marc qui était mort aussi, jeune aussi, à petit feu aussi [1].

« Il faut dire que trois jours dans cette cabane pourrie, ça n'a pas dû arranger les choses, a murmuré Cécile.

— C'était certainement pire sous son tunnel, a dit vivement Antoine. Et il n'avait personne pour s'occuper de lui. »

Il a parlé un peu trop vite, un peu trop fort. Cécile l'a fixé et c'est lui qui a lâché en premier. Alors, elle a tourné la tête de tous côtés comme si elle cherchait une issue. Grand-mère a ouvert les bras. Mais c'est vers oncle Alexis que la Poison est allée.

Oncle Alexis fixait toujours le paysage avec son couteau ouvert, comme s'il se demandait par quel bout il allait commencer à le transpercer, ce paysage impassible. La Poison lui a pris le couteau; elle a passé le doigt sur les encoches.

« Dans ton camp, quand tu étais prisonnier, il y avait sûrement des tas de tuberculeux! Tu m'as dit que c'était pas chauffé et tout. Ça m'étonnerait que les Allemands leur aient donné des antibiotiques à haute dose. C'était même plutôt le contraire, je pense. Pourtant, ça arrivait bien qu'ils s'en tirent? »

Alexis n'a pas répondu tout de suite.

1. Voir *L'Esprit de Famille.*

« Ça arrivait ! Mais faut pas se faire d'illusion, pas souvent, souvent ! »

Elle lui a rendu son couteau et ils sont restés comme ça pendant un moment, tournés vers Gabriel. Personne ne savait plus que dire. Cécile s'est retournée et quand il a vu son visage, Gaston a caché sa figure dans ses mains.

« Ma chérie », a dit maman.

Elle s'était levée ; elle s'approchait d'elle avec Antoine. La Poison les a repoussés.

« A quelle heure arrive papa ?

— Bientôt, a dit maman. Vers quatre ou cinq heures.

— Il a intérêt à faire vite », a dit Cécile.

Elle a regardé Antoine avec défi et elle est sortie en claquant la porte. Bernadette l'a suivie.

« Pardonnez-lui, a dit maman à Antoine.

— Vous ne voyez donc pas qu'elle croit que c'est de sa faute ? s'est exclamée Claire. Il faut faire quelque chose !

— C'est notre faute à tous », a dit grand-mère.

Alors Alexis s'est retourné. Lui aussi avait une tête impossible. Il est allé vers Antoine.

« Si ce garçon a besoin de quoi que ce soit ! a-t-il dit de sa grosse voix.

— On ne peut plus grand-chose pour lui, a répondu Antoine.

— Si je disais ça, a poursuivi oncle Alexis, c'est qu'il m'avait semblé entendre le docteur parler de reins, tout à l'heure. »

Antoine a acquiescé.

« Alors je me suis dit qu'à mon âge, un seul, ça devait grandement suffire pour aller jusqu'au bout », a repris Alexis.

Antoine a attendu quelques secondes pour répondre. Il y avait beaucoup de chaleur dans sa voix.

« Merci ! Mais ça ne changerait rien. »

Il ne pouvait pas savoir pour l'enveloppe aux organes. Personne n'arrivait plus à parler et maman est sortie à son tour. Grand-mère s'est levée; elle est venue vers son frère qui la regardait approcher avec méfiance. Elle a posé sa main sur son bras.

« Si tu arrêtais un peu de jouer avec ce couteau ouvert! Qu'est-ce que je ferai, moi, le jour où tu te le seras planté je ne sais pas où! »

Et le temps est devenu malade. Il est devenu mou. Il n'a plus pesé. Nous y avons été comme ces astronautes que l'on voit flotter sur la lune.

Nous attendions cette chose impossible : la mort d'un jeune garçon qui n'aurait pas eu l'occasion d'être heureux; et grand-mère l'avait dit : nous nous sentions tous responsables.

Après le déjeuner, maman a proposé d'aller faire une bonne marche. Bernadette et oncle Adrien se sont portés candidats. Moi, je suis descendue à la cuisine.

Henriette avait baissé la lampe très bas au-dessus de la longue table de bois et elle faisait ses comptes sur son gros carnet noir qui ne peut plus fermer à cause des factures.

Je me suis assise en face d'elle et j'ai attendu. Elle m'a lancé un regard par-dessus ses lunettes puis s'est replongée dans ses calculs. Ici, le temps existait à nouveau. Il coulait pour elle et je ne me lassais pas de la voir former des chiffres.

Quand elle a eu fini la dernière addition, elle a tiré un grand trait puis elle a refermé le carnet.

« Il était temps que l'année finisse! Il n'en pouvait plus, le pauvre. »

Elle m'a montré les bords qui se défaisaient : à l'intérieur, on aurait dit de la poussière.

Du tiroir, elle a sorti le neuf : celui qu'elle entamerait demain : 1er janvier. Le même exactement, mais en brillant, avec l'année en chiffres dorés.

« Tu vois, chaque fois que j'en mets un nouveau en route, je me dis : « Ma vieille, est-ce que seulement « t'iras au bout ? Est-ce que t'arriveras à la dernière « addition ?... » Et je me retrouve derrière cette table avec ta grand-mère solide au poste là-haut ! Et voilà tellement d'années que ça dure qu'on finirait par croire que ça n'arrêtera jamais ! »

Je n'ai pas répondu. Je pensais : « Si Gabriel avait pu s'asseoir ici, seulement une heure, une heure de sa vie, bien au chaud en face d'Henriette... S'il avait pu... » J'avais l'impression qu'il aurait été sauvé.

Elle s'est levée avec un peu de peine quoiqu'elle en dise et elle est allée mettre son second tablier.

« Tu ne crois pas qu'il serait temps de penser à ce réveillon ?

— Le réveillon ?

— Il manquerait plus qu'on laisse arriver la nouvelle année comme ça ! Puisque tu es là, tu vas m'aider. »

Je lui ai d'abord tout préparé pour ses œufs en meurette : l'oignon, l'échalote, le thym et le laurier, le persil aussi.

Le persil, Henriette en a toujours une branche dans son corsage : ça prévient les grosseurs suspectes.

« Si les parents pensaient à en donner une fleur chaque jour à mâcher à leurs enfants, ils ne finiraient pas à l'hôpital, crois-moi ! Mais encore faudrait-il qu'il y ait des parents ! Leurs enfants leur font peur maintenant ; alors ils les balancent ! »

La farine et le chinois pour passer la sauce.

« Est-ce que tu sais seulement pourquoi ça s'appelle un chinois ? J'espérais que tu pourrais me l'apprendre, toi qui fais des études... »

Le vin, elle descendrait le chercher à la cave avec Alexis.

Ensuite, nous nous sommes attaquées à la dinde. Elle

était allée la choisir elle-même dans une ferme des environs : une femelle, c'est plus tendre. D'habitude, je n'apprécie pas ce genre de détail mais dans la bouche d'Henriette, je ne sais pas pourquoi ce n'est pas la même chose.

Il y avait toutes sortes de viandes pour la farcir. Mais il y avait surtout la truffe qu'elle a sortie d'un linge : une grosse truffe brun sombre.

J'ai été chargée de la lui couper en lamelles fines, mains lavées et religieusement s'il vous plaît ! Maintenant, pour moi aussi le temps passait; je pouvais le saisir. Si les truffes n'avaient pas représenté de l'or, je lui en aurais bien coupé toute la journée.

Quand j'ai eu fini, elle a mélangé les lamelles au reste et elle a tout haché ensemble : ma truffe, le lard, le porc, le foie, le veau. Alors, à quoi ça servait, toutes ces cérémonies ?

« Des cérémonies ? Si tu me la haches entière, ta truffe, tu me l'écrabouilles, tu me lui presses le jus, tu me la traites comme n'importe quoi et ton plat, il n'a plus d'âme ni rien du tout. »

C'est elle qui a rempli la dinde. J'étais un peu gênée tandis qu'elle poussait la farce à l'intérieur, n'hésitant pas à y plonger les doigts. J'avais l'impression que tout ne tiendrait jamais et pourtant si ! Après, quand elle a cousu l'orifice, je lui ai dit qu'elle aurait fait un bon chirurgien.

« Un chirurgien ? Qu'est-ce que tu crois que je fais ? C'est ma salle d'opération, ici ! Ta grand-mère, tu n'imagines pas que c'est la médecine qui la tient en vie ? On soigne d'abord les gens avec ce qu'on leur met dans l'estomac. Tous ces cancers, d'où tu crois que ça vient ? »

Elle avait l'air presque en colère. C'était Paris aussi qui la tourneboulait. Etait-ce vrai que là-bas, la mode était de vous servir des ragoûts de poissons, des terrines de bouillabaisse, des matelotes de bœuf, des courts-bouillons d'agneau ? Elle aurait bien voulu savoir si les gens se rendaient compte qu'on se payait leur tête.

Cécile est passée vers quatre heures. Elle a refusé de boire une tasse de chocolat. Elle est allée se poster à la grille pour attendre papa.

J'ai su plus tard qu'il était arrivé à dix-sept heures avec Stéphane. Cécile a arrêté la voiture, elle a juste prononcé le mot « hôpital », mais d'une telle façon que papa a largué son futur beau-fils pour repartir directement avec elle. Nous avons un père formidable.

En attendant, Cécile a demandé l'heure et cela a tout déclenché pour moi. Parce que, comme par hasard, il était 16 h 10 !

Il était 16 h 10 à l'aéroport de Dijon. Dans le hall, j'ai entendu la voix de l'hôtesse appeler M. Moreau. « M. Moreau est demandé à l'embarquement. M. Moreau, dernier appel ! »

M. Moreau, c'était mon père, c'était un peu moi et c'était Gabriel. J'avais l'impression d'entendre un dernier appel que la vie lui lançait. Avec la porte de l'avion, c'était la porte du monde qui allait se fermer pour lui. Je suis montée dans cet avion. J'ai vu la place inoccupée. Dans sa route pour Marseille, il survole, paraît-il, les Alpes enneigées. C'est superbe. Des tas de gens lisent leur journal; ils sont blasés.

« Mon Dieu, s'est exclamée Henriette. Voilà que je vais manquer d'ail pour mes croûtons ! »

Elle a sorti de son porte-monnaie une pièce de dix francs et m'a ordonné d'aller tout de suite lui en chercher une tête ou deux.

L'ail, elle le prenait toujours chez Bouton, tout au bout de la ville. Ça me donnerait l'occasion de marcher, ce qui mettrait un peu de couleur à mes joues. Et pour lui faire plaisir, je devrais rentrer doucement, en admirant les vitrines, en me mélangeant aux passants, à la vie, quoi. Je lui rapporterais des images de tout ça, les plus belles. Il faudrait que je les regarde bien pour elle.

C'était tout ce qui manquait à son réveillon : un peu de joie du nouvel an.

CHAPITRE XXXIV

LA SOURCE

La joie est partout! Enfin, les efforts de joie. La grand-rue est illuminée. Les vitrines ont encore leurs guirlandes de Noël, leurs lumières, leur poudre de neige; mais cette fois, plutôt que le grand magasin ou le marchand de jouets, c'est le charcutier qui est le roi : avec ses foies gras, son boudin blanc, ses pâtés aux croûtes dorées; avec ses œufs en gelée qu'il a ornementés d'une petite queue rose en tire-bouchon et de deux yeux en truffe.

Beaucoup de monde dans sa boutique; dans les rues aussi : gens couverts jusqu'au nez qui traînent, admirent, conversent. On sent que c'est important pour eux, minuit! Une étoile retenant le temps. Je n'arrête pas de penser au temps!

Pour mes deux têtes d'ail, j'ai fait la queue une demi-heure. Il me semblait bien, pourtant, en avoir vu toute une provision dans le garde-manger. Mais ça va mieux, alors merci, Henriette!

« Pauline! »

Cœur battant, je me retourne. C'est bien Paul. Il est dans sa voiture, portière ouverte côté trottoir. Il se penche.

« Vous montez? »

J'hésite. Je suis complètement perdue. Je m'attendais si peu à le voir. Et cette fois encore il me semble différent : ni l'homme inquiétant du parc, ni le traître de la signature. Plus jeune. Ou moins vieux. Son col roulé peut-être. Son sourire.

Un groupe de filles s'est arrêté, me regardent, le regardent, se parlent à l'oreille. Je suis sûre qu'elles l'ont reconnu : Paul Démogée, l'écrivain.

« Je vous en prie! »

J'y vais! Je ne peux m'empêcher, malgré tout, de ressentir une certaine fierté.

L'intérieur de sa voiture est très beau, spécial; les banquettes sont en cuir, il y a du bois laqué, des boutons en quantité : une voiture sur mesure? Concerto pour unijambiste?

Il me sourit.

« Je vous cherchais.

— Moi?

— J'ai appelé chez vous. Vous veniez de partir. J'ai eu votre tante. »

Il s'interrompt une seconde :

« Elle m'a raconté.

— Qu'est-ce qu'elle vous a raconté?

— Pour ce garçon. Pour votre petite sœur aussi. J'ai pensé que vous étiez montée au parc. J'y allais. »

Tante Nicole est trop bavarde. Elle n'a pas besoin de raconter notre vie à tout le monde.

Sur le trottoir, l'air idiot, les trois filles continuent à regarder Paul.

« Où voulez-vous aller?

— A la maison. »

Il démarre en douceur. Il semble n'avoir aucune peine à conduire. Je fais attention à ne pas trop regarder du côté de ses pieds. Son pied. Apparemment, il n'y a que deux pétales.

« Ce n'est pas par là!

— Je sais, dit-il. Mais que penseriez-vous d'un petit détour pour dire au revoir à ce cher Buffon? Je pars demain. »

Buffon? Mais ce n'est pas non plus le chemin du parc qu'il prend. Nous longeons la grande librairie. Des guirlandes et plein de monde. On offre aussi beaucoup de livres le 1er janvier. Livres et parfums. J'aime les librairies. Mais je m'y sens comme balayée. Dans cette marée de mots, ceux que j'écrirai, que pèseront-ils? Quant aux parfums, ils ne « tiennent » pas sur moi. Est-ce que mes mots « tiendront » ?

Place Buffon! Voilà donc où il voulait aller. Il arrête la voiture contre la pelouse où se dresse la statue dans sa longue redingote, stoppe le moteur, allume le plafonnier.

« Je vais vous faire entendre quelque chose. »

C'est une cassette. Je ne sais pas comment sont placés les haut-parleurs mais le son est fantastique. On est mangé par la musique.

« Schubert! »

La tendresse. Il aime donc ça? Maintenant, il passe son bras derrière moi, le pose sur le dossier de ma banquette et me regarde.

« Votre tante vous a donné mon livre?

— Je ne l'ai pas aimé. »

C'est venu spontanément. Une vengeance? Il n'a pas du tout l'air blessé, à peine étonné.

« Pourquoi?

— C'est froid. »

J'attends qu'il m'envoie bouler, lui l'écrivain. Qu'il m'explique à moi, l'ignorante, tout ce que je n'ai pas su entendre ou voir sous ses mots.

« Qu'appelez-vous « froid » ?

— Sans vie! Sans émotion. Votre héros, on dirait que rien ne le touche.

— Croyez-vous? dit-il. Et si, tout simplement, il avait

258

fait le tour de ces choses « qui touchent » ? S'il avait décidé que leur étalage était sans intérêt ? »

Qui a parlé d'« étalage » ? C'est alors que je revois le visage d'Alexis, tout à l'heure, quand il ne savait pas comment proposer son rein parce qu'il a énormément de pudeur. Mon Alexis tout vieux, tout blanc et fripé et qui, lorsqu'il a étalé les lames de son couteau, a tout dit. J'ai l'impression que Paul vient de l'attaquer.

« Donc, pour vous, vivre c'est ça ! Refouler les émotions ? Se retrancher des choses ? C'est tout ce que vous avez à proposer aux gens ? Une promenade grise avec rien au bout. »

Il ne répond pas. Il ne sourit pas non plus. Heureusement ! Et je lui dis que je ne suis pas d'accord. Pas du tout. Que je le plains de tout mon cœur d'avoir fait son « tour des choses qui touchent » et que, heureusement, tout le monde n'en est pas là. Que les gens sont sans arrêt transpercés, meurtris, roulés dans le bonheur ou la souffrance. Ils en bavent. Ils essaient de voler. Ils se cassent la figure et ils rêvent, rêvent et rêvent encore ; et son héros, son Blaise je ne sais pas qui, je ne sais pas quoi, n'a rien à leur apporter, ni soutien, ni miroir, ni amour.

C'est sûrement trop ! C'est enfantin de s'enflammer comme ça. Je me coule pour toujours à ses yeux. Tant pis ! Son fameux « tour des choses », il tombe trop mal aujourd'hui ! Est-ce qu'il a jamais eu l'occasion de le faire, Gabriel ? Puisque depuis sa naissance, il y a été jusqu'au cou dans les choses qui touchent. Comme il était lourd, à l'aube, quand nous le transportions, Antoine et moi. Lourd de tout l'amour qui lui avait manqué, lourd de tant de vide, de tant de lutte, sans compter la petite sœur à convaincre.

Pour conclure, je dis qu'à la maison tout le monde se sent coupable. Cécile, ça va de soi. Moi pour n'avoir rien dit. Maman, pour n'avoir rien senti. Grand-mère parce qu'elle sait bien que ce serait plutôt son tour de partir. Antoine, parce que la médecine, aujourd'hui, se montre impuissante. Alexis, avec son enveloppe. Tout le monde! Et c'est très bien comme ça. Le remords, c'est notre contribution, notre façon de dire adieu : dernier regard, petit bout de mouchoir agité.

« J'ai souvent pensé, dit Paul, que sans le savoir, nous devions tous être responsables de la mort de quelqu'un.

— Raison de plus pour hurler! »

Là, il n'insiste pas. Il faut dire que son livre, c'est le contraire d'un hurlement; à peine un soupir, un souffle vague.

Nous regardons Buffon sur son socle. On ne l'aura jamais tant regardé, celui-là! Ça lui aurait plu puisqu'il paraît qu'il était un monstre d'orgueil. Mais à sa façon, il y a deux cent cinquante ans, il a crié, ce monstre qui aimait les oiseaux, les fleurs et les petites filles pour lesquelles il se faisait passer deux fois par jour ses papillotes au fer.

La cassette s'arrête. Terminé Schubert! Exit Pauline. Il va ouvrir la portière et me mettre dehors.

« Tout à l'heure, dit-il, j'étais en train de faire mes bagages, et soudain j'ai eu envie de vous entendre et je me suis retrouvé le nez dans l'annuaire, cherchant votre numéro. Maintenant, je me demande si ce que j'attendais de vous, n'était pas exactement ce que vous venez de me dire. »

Je ne comprends pas. Qu'est-ce qu'il lui prend?

« A force de craindre ce fameux étalage, dit-il, un écrivain peut finir par devenir seulement... une sorte d'illusionniste... Un jongleur de mots plus ou moins adroit. Il peut en arriver à oublier l'essentiel; cette source qui coule au fond de nous et qui est le véritable lieu de rencontre des êtres. A votre âge, c'était là que je voulais jeter mon filet. Merci de me l'avoir rappelé! »

Ce n'est pas possible. Je ne sais pas ce que je dois faire : sourire ? Rester grave ? Je l'insulte et il me remercie. Mais il se moque sûrement. Dans une minute, il va rire. Cette fois, il ne m'aura pas.

« Non, dit-il. Ne riez pas. Ecoutez-moi, Pauline. Ecoutez. Ne savez-vous donc pas encore que, dans la vie, tout se passe à partir de rencontres ? Et depuis longtemps, je n'avais rencontré personne... de vrai ! »

Il pose sa main sur mon genou. Mon vieux jean qui en a tellement vu qu'il est presque blanc. Je ne souris même plus. Il pose la main sur mon jean et me dit qu'un de ces jours il élèvera dans le parc Buffon un petit monument en pantalon mouillé — il y tient — et blouson bariolé. Parce que c'est là-haut, sur cette colline comme une île au-dessus des eaux, qu'il a réappris à voir les choses : les lumières par exemple, qui depuis longtemps n'étaient plus que des lumières pour lui.

Et maintenant, puis-je essayer de comprendre ? Il ne connaît pas du tout les jeunes filles. Il les voyait plutôt ricanantes, portant des barrettes de couleurs et sentant moyennement bon, merci ! Depuis son accident, il a vécu en ermite. Seul ou parmi des gens comme lui, des gens à phrases et à idées, plutôt que des gens à vie. Des gens à idées grises plutôt que des gens à joie, qui considèrent comme périmés le rose et le blanc, le doux et le tendre.

Et puis un soir, il tombe sur une jeune fille bizarre dont un œil est plein d'enthousiasme et l'autre de peur; une jeune fille avec un pied qui avance et l'autre qui recule : qui, à la fois, meurt de besoin de s'exprimer et lutte contre la paralysie générale de telle façon que c'en est émouvant. Et grâce à elle, il ne sait pas comment, la fête est là : une chaleur qu'il avait oubliée.

Lorsque, plus tard, il m'a vue à la signature, lorsqu'il a vu mes yeux, mes larmes, ma colère, et quand il s'est regardé, lui, à sa table, faisant le jongleur avec ses dédicaces, il a eu envie de tout balancer pour me courir après. Avec ses deux jambes, il l'aurait fait. Il avait cru, comme un imbécile, que je serais plutôt contente de le reconnaître à la mairie, flattée, disons le mot. Mais j'ai vu la seule chose importante : il avait joué avec la vérité.

Depuis, il est monté presque tous les jours dans le parc et, à chaque fois, il était déçu de ne pas m'y trouver tout en me donnant rudement raison. Voilà.

Il appuie une dernière fois sa main sur mon genou, la retire, sourit.

« Comme vœu pour le 1er janvier, je fais celui-ci : ne changez pas Pauline... surtout pas d'un pouce. »

Il n'attend pas la réponse. Une chance ! Je ne trouve pas le moindre mot; ne serait-ce que pour parler de Schubert qui était si profond et si tendre, à l'inverse de ce qu'il disait dans son livre; Schubert qui était le plus pur de cette source dont il parlait.

Il remet son moteur en marche. J'ai hâte d'être seule dans ma chambre. Pour réfléchir et partager entre la gêne et ce quelque chose qui chante et parle d'aventure, et transforme les choses. Comment ai-je pu vivre si platement ?

« Maintenant, je vais vous raccompagner, dit-il. Mais contre une promesse. A Paris, appelez-moi. J'ai besoin de leçons de Noël. »

Et il fait une chose drôle et jolie comme ce qu'il vient de dire : il prend mon poignet, remonte un peu la manche et, avec un feutre, écrit sept chiffres. Puis il recouvre le tout. C'est fini.

Nous sommes déjà dans la côte. Voici déjà la grille. Montbard n'est finalement qu'une toute petite ville : une toute petite île.

Il s'excuse de ne pas sortir, ne me tend pas la main, me regarde tandis que transformée en cent tonnes je

262

cours vers la grille, trébuche évidemment, me jette dans le jardin.

La voiture de mon père est devant la maison Celle d'Alexis également. Ça sent bon dans la cuisine. Je m'aperçois en y entrant que j'ai oublié mon ail dans la boîte à gants de Paul. J'aurai l'air fin quand il le découvrira !

Pour Henriette, en tout cas, ça ne devrait pas trop lui manquer ! Il y en a plein une assiette, haché menu avec du persil. Il y a aussi, sur la table de la cuisine, une longue boîte de foie gras.

Tout le monde est au salon. J'avais complètement oublié la venue de Stéphane. Il a une drôle de tête avec ses cheveux courts et son cou de girafe. Le visage de Bernadette est appuyé sur son épaule.

Maman se lève quand elle me voit. Charles me regarde gravement. J'ai compris. Pendant que les ailes me poussaient, à l'hôpital il y en avait un qui s'envolait pour de bon.

CHAPITRE XXXV

BONNE ANNÉE

CHARLES a été fantastique. Cécile aussi.

Il a dit qu'ils avaient décidé d'un commun accord de réveillonner malgré tout. Cela ne signifierait pas, au contraire, que nous oublierions Gabriel. N'offre-t-on pas des fleurs à ceux qui ne peuvent plus respirer leur odeur? Nous offririons à Gabriel cette fête que nous aurions aimé le voir partager avec nous.

Grand-mère faisait une tête épouvantable. Elle était toute recroquevillée sous son châle, comme écrasée par l'injustice d'être là, elle, alors que Gabriel... Grand-mère n'a jamais pu supporter la souffrance des jeunes.

Charles s'est approché du canapé; il s'est penché sur cette pauvre vieille dame coupable et l'a regardée avec sévérité.

« J'avais cru comprendre que vous croyiez en Dieu? »

Il y a eu un instant de stupeur.

« Je pensais qu'il était évident pour vous, a poursuivi papa du même ton, qu'il y avait autre chose après... Qu'on avait une chance, lorsqu'on avait connu une vie de chien, de se rattraper un peu dans votre ciel. »

Grand-mère a relevé tout à fait la tête. Elle regardait

Charles avec défi, comme s'il mettait en doute toute son existence, presque sa présence ici.

« Je ne peux vous dire qu'une chose, a conclu papa, quand tout a été fini, le visage de cet enfant a étonné tout le monde. Il était... presque souriant. Il était comme un poing desserré. »

Il s'est redressé. C'est alors que j'ai remarqué le visage de Cécile. On avait beau y lire toute sa fatigue; il avait beau être littéralement noir de crasse, plein de traînées des yeux aux lèvres, il était, lui aussi, comme un poing desserré. Comme un acte de foi.

Maman est venue près de son mari; elle a glissé son bras sous le sien; il a posé sa main sur la main qui dépassait et elle a eu l'air heureux. J'ai compris son besoin de toucher l'homme qui avait prononcé ces mots.

Il a juste ajouté que l'enterrement aurait lieu après-demain et que nous y assisterions avant de rentrer à *La Marette*. Nicole devait s'entendre avec l'abbé Gosier pour réserver l'église Sainte-Urse : celle de Noël.

Et cela a été tout. J'ai regardé ma montre. Il était sept heures et quart seulement. Il y avait à peine une heure, Paul dégageait mon poignet pour y écrire sept chiffres. J'ai senti l'odeur de sa voiture, la forte odeur de cuir des sièges, celle du petit cigare qu'il avait allumé à un moment, après m'avoir demandé la permission, et une sensation étrange et très forte m'a parcourue, comme si soudain je touchais ma vie.

Henriette s'est approchée de papa.

« Le docteur a-t-il pensé à mon foie gras ? »

Elle a toujours parlé à papa à la troisième personne et il se demande encore ce qu'il doit en penser. Il a eu l'air consterné.

« Diable ! Le foie gras ! Qu'est-ce que j'ai bien pu en faire ! »

Il frappait drôlement sur ses poches.

« Il est sur la table de la cuisine », ai-je dit. J'ai regardé Henriette bien en face : « quant à moi, j'ai oublié ton ail! »

Cela a fait rire tout le monde.

« On ne peut pas penser à tout, a dit Henriette. Heureusement, j'en ai retrouvé une ou deux têtes. »

Elle a quitté le salon.

« Si on allait se faire beaux, a proposé Nicole.

— Cela me paraît urgent », a renchéri papa.

L'hôpital, la voiture, il ne rêvait que d'un bon bain avec, à la sortie, une femme aimable pour lui tendre un peignoir préalablement offert à la chaleur d'un poêle. Dans le bain, si personne n'y voyait d'inconvénients, il prendrait volontiers une goutte de whisky.

Grand-mère a fait la grimace. Elle ne comprendra jamais ce goût pour les boissons américaines alors qu'en Bourgogne on a tout ce qu'il faut et pour toutes occasions.

Papa se dirigeait vers la porte. Alors la Poison s'est levée. Elle n'avait pas encore prononcé une seule parole et cela devait faire une bonne douzaine d'heures qu'elle portait son anorak fermé jusqu'au cou.

Elle s'est mise entre la porte et Charles.

« Je ne sais pas ce que j'ai foutu avec cette sacrée fermeture Eclair! Elle s'est coincée. »

Sans rien dire, papa l'a attrapée par le gras du bras. Il s'est carré dans un fauteuil, il l'a collée entre ses genoux et il a commencé à bricoler la fermeture. Cécile fixait cette grosse tête un peu châtain, un peu grise sous son menton; à un moment, elle a levé la main et j'ai cru qu'elle allait l'y poser, mais non! Elle l'a juste laissée quelques secondes comme ça.

L'anorak enfin ouvert, papa lui a dit que si elle ne se douchait pas maintenant, il lui faudrait attendre l'année prochaine ce qui serait regrettable.

Et on a eu droit au dernier rire idiot de l'année : celui

de Gaston qui, bien entendu, a réalisé avec une heure de retard que l'année prochaine, c'était quasiment pour tout de suite.

Juste avant de sortir, la Poison s'est retournée. Elle a dit : « Je veux bien croire qu'il est en paix maintenant et tout, mais quand même, Gabriel, c'était un beau nom ! Un nom qui méritait pas de mourir ! »

En un sens, cela a été son adieu.

« Si je peux me permettre un vœu, mon pauvre Alexis, dit grand-mère, je souhaiterais que tu prennes la résolution, une demi-journée par semaine, de ne pas froncer les sourcils !

— Si je puis m'autoriser, dit Alexis, les sourcils en bataille, je souhaite que d'un bout à l'autre de cette même semaine, tu oublies de placer l'adjectif « pauvre » devant mon prénom. »

Ils se regardent, se sourient. Les grosses pattes d'Alexis prennent les épaules toutes minces de grand-mère et c'est parti pour les deux joues.

Il est minuit ! Sous le gui, c'est comme un ballet. Il y a eu la pauchouse, la dinde à la purée de céleris, les fromages chauds avec la salade, la glace. C'est trop ! On a gardé le foie gras pour demain. Cela me fait drôle de penser à tous ces gens qui, partout, s'embrassent en écoutant résonner en eux le premier coup de la nouvelle année. Je ne peux dire qu'une chose : le courant passe !

« Toi, je te souhaite le bac avec mention », dit Nicole en me prenant par la taille.

Rien d'original, ça fait la troisième !

« Pour la mention, je ne promets rien. »

Papa s'approche. A chaque fois qu'il m'embrasse comme ça, de cette façon appuyée après avoir essayé de me regarder dans les yeux, j'ai l'impression qu'il me demande pardon de m'avoir un peu oubliée, d'être si absorbé par tout ce qui n'est pas moi seule...

« Bonne année, ma chérie ! »

J'ai cru entendre aussi « merci » Très bas, je répète : « Merci ? »

« Pour Cécile. »

Je m'enfonce dans son épaule.

Un souhait par personne, cela en fait une dizaine et autant à donner. Certains, comme maman, les préparent à l'avance. Les autres, c'est à l'inspiration. Les hommes manquent en général d'imagination. C'est : « bonne année », un point c'est tout ! A Henriette, tout le monde parle cuisine, souhaite des plats retentissants, des sauces à tout casser. Cela me paraît un peu ridicule. Enfin, si ça lui plaît ! Je revois le carnet noir. Et que fait-elle des périmés ? Il faudra que je lui en parle.

Maman sourit à Bernadette

« Je te souhaite une partie de ce que tu désires.

— Pourquoi seulement " une partie " ? râle notre cavalière.

— Il faut bien en laisser pour les autres années ! »

Antoine se penche sur moi. Il dit simplement : « Sois heureuse ! » Et, je ne sais pourquoi, cela a un goût d'adieu.

« On se souhaite la télé en couleur, me lance Cécile. Okay ? »

Okay ! Peu de chance de gagner mais rien à perdre.

Je sens sa joue sous mes lèvres. « Bonne année ! »

Du côté d'Alexis et d'Adrien, les souhaits vont avec les rires étouffés. Ils ont un fumet de sous-bois, de rivières poissonneuses ; il s'y dresse des cornes d'escargots. J'aurais tant de choses à dire à Claire !

Grand-mère est le morceau sérieux. On passe chacun son tour à côté d'elle sur le canapé. Cela a un côté confession. A elle, on voudrait dire seulement : « Reste encore longtemps. »

« Si tu te faisais un peu plus confiance, me glisse-t-elle à l'oreille. Tu ne vas quand même pas traîner toute ta vie une cloche à orages dans ta poche? »

Puis maman!

« Continue à être exigeante, ma chérie. »

Ça, ça me plaît. Un bon sujet de méditation. « Ne changez pas d'un pouce », m'a dit Paul. Ça va avec! Ma tête va finir par enfler.

En voyant venir Bernadette au bras de Stéphane, je réalise qu'il va nous l'enlever. Cette année-ci! Je dis très vite :

« Je vous souhaite de passer avec nous le prochain réveillon. »

Ma sœur rit.

« Voilà bien toi! On est là. Profites-en! Profite du présent.

— Pas si ça doit finir.

— Ça ne finit que pour recommencer », philosophe le militaire avec sa tête rasée sur son long cou.

Son baiser est léger sur mon front. Celui de Bernadette claque. Elle est sérieuse maintenant.

« Peut-on te souhaiter, mon cher Paul, de devenir un écrivain célèbre? »

« Mon cher Paul. » J'ai une seconde de vertige. Mais elle m'appelle souvent ainsi et ne connaît pas Démogée.

« Compte sur moi!

— De quoi parleras-tu dans tes livres? interroge Nicole avec un sourire en coin.

— De tout! Complètement tout : Et de la tendresse!

— Et pourquoi tu ne parlerais pas de nous? » propose papa. Et il ne sourit pas.

Je les vois tous s'approcher. Ils m'entourent.

« De tes sœurs, dit Bernadette.

— De ton cher cousin, dit Gaston.

— De ton oncle bien-aimé, dit Adrien.

— Qu'est-ce qui se passe ? crie grand-mère, abandonnée sur le canapé.

— Nous n'intéresserons personne ! » dis-je.

Les « merci » fusent de partout.

« Et je ne sais pas si je saurai...

— Tu peux toujours essayer ! »

Je pense aux jongleurs de mots, à l'illusionniste. Je pense à la source. Ce qui compte, c'est ce qui coule au fond, ce qui est commun à tous. Je le sens comme une lumière.

« Parle de Gabriel, ordonne Cécile, et débrouille-toi pour qu'il vive toujours ! »

CHAPITRE XXXVI

CLAIRE ET LE BONHEUR

« Qu'est-ce que tu fais ? »

La Princesse est là, appuyée à la porte, en hautes bottes, cache-nez au ras des yeux.

Elle me regarde comme si rien, jamais, n'avait été abîmé entre nous, cassé !

« Tu vois ! Je nettoie... par le vide, comme on dit ! »

Un maximum sur la brouette, et ça va au gros tas, là-bas, pas loin du puits, à l'endroit où, l'été, on brûle l'herbe fauchée. Quand tout y sera, j'en ferai un bon feu : j'ai descendu la bouteille d'alcool dont on se sert pour le barbecue, l'été.

« Je peux t'aider ? »

Elle joint le geste à la parole et ramasse quelque chose par terre : un livre.

« *Le Grand Meaulnes*, lit-elle.

— Figure-toi que Cécile voulait faire l'éducation de Gabriel ! »

Je lui reprends le livre. Relié ou non, dans la brouette avec le reste ! On le mettra en haut du tas. L'évasion, la fête, le rêve, la pureté perdue, la mort. C'est parfait. Moins la fête évidemment !

Couverture trouée, coussin crevé, vieilles hardes.

C'est pour le matelas que cela a été le plus dur. Il ne tenait pas sur la brouette. Il aurait fallu le prendre à bras le corps. Je n'ai pas pu; à bras le cœur, tête détournée, je l'ai traîné. Maintenant, l'herbe d'hiver s'orne un peu partout de boules de laine.

Antoine a rendu à Alexis l'uniforme de zouave en lui recommandant de le faire désinfecter.

Il y a de la transmission de pensée dans l'air. La Princesse fronce les sourcils.

« Si papa te voyait, il serait fou! Tu as pensé aux microbes? Alexis avait dit qu'il s'occuperait de tout. »

Je sais! Mais moi, j'avais quelque chose à récupérer ici. Et je ne pouvais prévoir que ce besoin d'effacer me prendrait. Ce besoin de défier aussi, je ne sais qui ou quoi. De faire quelque chose d'inhabituel, de défendu, comme on crie alors que le silence vous a été recommandé.

« Allons-y! »

Il ne reste dans la cabane que les caisses et les outils cassés. On aérera bien tout ça et on n'en parlera plus.

Le jardin crépite, respire, dirait-on. Ce matin il a plu et la pluie a noyé le froid. Des gouttelettes tremblent au bord des branches.

Claire marche à côté de moi. Elle a posé la main sur un des bras de la brouette, pas loin de ma main à moi. Un peu tard pour lui dire : « Bonne année! »

« Tu sais que je reste à Montbard?

— Maman m'a dit.

— Je ne voudrais pas que tu penses que c'est par lâcheté.

— Lâche, toi? »

Je ris. Elle cherche des compliments, ma parole.

« J'ai besoin de m'éloigner un peu de *La Marette*! »

Elle m'aide à vider la brouette. Elle prend entre ses mains gantées les vieux oripeaux et les pose avec soin sur le tas. Il y a des assiettes de pique-nique en carton fleuri, ça égaie ! Une serviette de toilette et une autre de table. Un peigne, un journal, beaucoup de papier de chocolat lait-noisettes, le préféré de Cécile, des emballages de gâteaux, argentés à l'intérieur.

Lorsque tout y est, je répands l'alcool. Je jette l'allumette. Cela prend comme un coup de vent.

« J'ai aussi besoin de m'éloigner d'Antoine !

— Pourquoi ?

— Pour y voir clair.

— C'est-à-dire ?

— Il veut m'épouser et reconnaître l'enfant.

— Qu'est-ce qu'il te faut de plus ? Tu l'aimes ou non ? »

La flamme a pris tout de suite à l'intérieur du matelas. Une flamme bleue.

Claire me regarde avec étonnement, presque choquée.

« Parce que, pour toi, aimer, ça veut dire automatiquement se marier !

— Dans ton cas, tu avoueras que ce serait plus pratique. Et pour l'enfant, ça me semble mieux, non ?

— A condition que le père et la mère s'entendent, dit Claire. Regarde oncle Adrien et tante Philippa. Tu parles d'une réussite !

— Tu n'es pas tante Philippa ! Et moi, j'aurais plutôt tendance à regarder les parents ! »

Le feu a pris dans la tapisserie du tabouret. Les assiettes se tordent en brûlant. Saleté de plastique qui fait de fausses flammes vertes. Dire qu'on bouffe là-dedans !

« Vivre comme maman, non merci », murmure Claire.

Je lui en veux d'avoir dit ça. Et je ne comprends pas.

« Maman est formidable !

— Qui t'a dit le contraire ? Formidable ! Pour les autres. Pas pour elle.

273

— Si elle est heureuse comme ça ! »

Claire reste un moment sans répondre, regardant le bout de ses bottes mouillées. Ça ne sent pas bon, ce feu. Rien à voir avec la vivante odeur de l'herbe sèche sous les tourbillons de fumée qui font monter au ciel les génies des contes de fées.

« Peux-tu comprendre ? demande-t-elle, que d'une certaine façon, on puisse avoir peur du bonheur ? D'un certain bonheur ? »

Je n'ai pas envie de répondre.

« D'un bonheur qui limite ? Qui enferme ? »

Elle regarde du côté de la rue. Les toits sont plus foncés quand ils sont mouillés. Certaines tuiles tournent au vert. Ce petit nuage, là-bas, est à vous crever le cœur.

« Tu as peur d'être trop bien avec Antoine, c'est ça ?

— Peut-être ! Soit « trop bien », et en un sens, je meurs ! Soit pas assez bien, et c'est lui que je fais mourir. »

Sa voix est sourde :

« Comment peux-tu savoir ce que tu seras dans dix ans ? Et même dans deux ? De quoi tu auras envie et tout ? C'est trop long, le mariage.

— Quand on aime, on ne se pose pas toutes ces questions. On part ensemble et on voit.

— Si je me pose toutes ces questions, c'est que je l'aime, dit-elle. Je ne veux pas qu'on se déchire un jour... ou qu'on se noie, dans le médiocre.

— Alors, qu'est-ce que tu voudrais ?

— Dormir avec lui. Vivre près de lui, comme ça, pour commencer. »

Elle fait la grimace : « Mais pour lui, c'est le mariage ou rien. »

Ça balaie tout, son « mariage ou rien ». Et la façon dont elle l'a dit. Je ris : un rire qui vient de très loin et que je ne comprends qu'à moitié. Quelque chose chante soudain en moi. Comment dire? Même si moi je suis plutôt mariage, bonheur et enfants, Claire m'ouvre des horizons. L'horizon de la confiance en soi peut-être. Un horizon où l'on n'aurait pas peur de prendre des risques.

« Qu'est-ce qu'il y a de si drôle?

— Ton « mariage ou rien ». Avant, c'était la fille qui disait ça.

— Parce qu'elle n'avait pas d'autre porte de sortie! Les temps ont changé, ma vieille!

— Mais toi, ta porte de sortie, qu'est-ce que c'est?

— Je reprends mes études! » annonce-t-elle.

Cette fois, je reste complètement clouée. Voilà deux ans qu'on la supplie de le faire. On a vu cent fois le pauvre Charles entrer dans sa chambre avec un visage de tombeau pour lui expliquer que, dans son intérêt, elle devait se former un bagage de connaissances, que la liberté c'était le travail, vous connaissez... Et c'est maintenant qu'elle se décide! A quatre mois de la naissance de son enfant! Alors qu'elle est aimée d'un homme qui voudrait l'épouser et pourrait enfin se croiser les bras, avec l'approbation de tous cette fois, comme elle l'a fait depuis son bachot.

« Ça s'appelle psycho-motricité, dit-elle, les études durent trois ans. Il paraît que j'aurai du mal au début. Une histoire de cervelle rouillée. Mais si je veux... Ensuite, je m'occuperai d'enfants en difficulté.

— Pourquoi d'enfants? Pourquoi en difficulté? »

Elle me regarde et dans son regard très bleu il y a comme une fatigue mêlée de souvenirs

« Même pour moi ce n'est pas très clair, tu sais. C'est à cause de ce qui s'est passé dans ce métro. Je n'arrête pas d'y penser. Je n'ai pas peur, ce n'est pas ça, mais je revois leurs visages... tu te souviens? Je n'arrête pas de me dire qu'il faut faire quelque chose. »

Elle se tait un moment, cherche ses mots. Je ne me doutais pas que c'était resté si vivant en elle, l'histoire du métro. Moi, en un sens, j'avais oublié. Effacé?

« Après, dit-elle, je me suis regardée autrement. J'ai vu la différence, l'injustice. J'ai envie de rendre des enfants heureux. J'ai envie de réparer. »

Réparer. Ce mot frappe fort en moi. Je sais que je ne l'oublierai plus. Réparer.

Il y a quelques années, si peu d'années, nous nous penchions souvent sur ce puits. Nous y lancions des cailloux. C'était vertigineux, le temps qu'il fallait avant que tout au fond l'eau nous réponde. C'était un peu nous qui tombions.

« Ça ne va pas, ton feu », dit Claire.

Pas du tout! C'est même exactement ce que je voulais éviter : une demi-purification! Je ne sais pas si j'ai voulu « réparer » quelque chose en faisant ce feu, mais c'est raté. Gabriel restera-t-il en nous comme cette fumée noirâtre qui sourd comme une respiration?

Je vide toute la bouteille. « Recule-toi »! Je lance toute la boîte d'allumettes. Ça repart. Mais c'est foutu au fond. On n'a plus de munitions.

« Et à ton enfant? Qu'est-ce que tu diras?

— La vérité.

— Même si tu épouses Antoine? Même s'il le reconnaît?

— Comment veux-tu faire autrement?

— Et si, un jour, il voulait connaître son vrai père?

— Et si, un jour, il apprenait qu'on lui a menti? S'il veut connaître son vrai père, il le connaîtra. »

Elle a raison. Mais on ne m'empêchera pas d'imaginer la tête de Jérémy et d'avoir, à nouveau, envie de rire. Rire avec elle; parce qu'un matin, près d'un puits, dans le jardin de son enfance, on peut se sentir à la fois dix ans et sur le tranchant de la vie.

« Tu sais, dit Claire, à un moment, j'ai pensé... Je me

suis dit... que tu aimais Antoine toi aussi. Et pourquoi pas après tout ? »

Nous y sommes ! Il n'y a qu'à entendre sa voix ! Et elle a beau faire de grands discours, elle y tient à cet homme. Et elle vivra avec lui, c'est sûr !

Je la regarde bien en face.

« Antoine ? Moi ? Pas du tout mon genre ! Beaucoup trop sérieux ! N'oublie pas que je suis d'une autre génération que toi, ma vieille. Et à notre époque, ça change vite. »

Elle se décide à rire aussi. Elle a l'air soulagé. Son regard s'arrête sur mon poignet. Les chiffres sont presque effacés maintenant.

« C'est qui ?

— Personne !

— Tu me raconteras », dit-elle.

Mais son sourire s'efface.

« Mon Dieu, qu'est-ce qu'on va prendre ! »

Là-haut, sur la première terrasse, trois têtes viennent d'apparaître, puis trois bustes, trois hommes : Antoine, Alexis et papa. Il fallait bien que cette fumée finisse par attirer quelqu'un.

Antoine se hâte vers l'escalier. Je les entends d'avance : nous sommes folles ! Il y a des risques qu'on n'a pas le droit de prendre ! Surtout Claire !

Mais il y a des moments où il faut savoir prendre des risques sans les mesurer. C'est vital !

Claire s'est rapprochée de moi : « On a eu l'idée de ce feu toutes les deux, me souffle-t-elle. D'accord ? »

D'accord !

Je lui dis aussi :

« Tu vas me manquer !

— J'espère bien !

— Vous êtes folles, clame papa. Complètement inconscientes ! Et toi, Claire, dans ton état ! »

Antoine ne dit rien. Il regarde Claire. Il n'a pas fini de

277

la regarder comme ça! Comme quelqu'un qui a des ailes et risque à tout moment de lui échapper.

Elle a posé la main sur son ventre.

« Mélo ou pas, dit-elle, comme nom, si c'est un garçon, qu'est-ce que vous penseriez de Gabriel ? »

CHAPITRE XXXVII

AU REVOIR, M. BUFFON !

Il paraît que les démarches ont été compliquées mais Nicole et Charles ont fini par aboutir et l'enterrement a eu lieu en l'église Sainte-Urse, à trois heures, avant notre départ pour *La Marette.*

Nous avons chargé la voiture avant d'y monter. Ainsi, quand la cérémonie serait terminée, puisque cela s'appelle comme ça, nous n'aurions plus qu'à prendre un thé bien chaud, embrasser la famille, et en avant !

Je n'ai pas vu passer la messe ! Je ne croyais plus du tout à la mort de Gabriel. Ni à Gabriel, d'ailleurs. Il y avait, entre les rangées de sièges, près de l'autel, une caisse de bois verni sur deux tréteaux et puis voilà. Je l'avais si peu vu, au fond : un souffle, une ombre sous une couverture.

Ce qu'il fallait, c'était surtout effacer de mon souvenir le moment où Antoine et moi, nous avions porté dans la brume, cette couverture encore pleine de vie.

Antoine se tenait à côté de Claire. Comme papa, il fixait les vitraux, un peu au-dessus de la tête de l'abbé Gosier. J'ai compris qu'il regardait vers d'autres enfants : vers Frédéric peut-être, vers tous ceux qui refusent ce monde, ceux dont Claire avait décidé de s'occuper. Peut-être dans le regard de ma sœur liraient-ils cette lumière qui les ferait accepter la vie.

Les parents avaient pris Cécile entre eux. On voyait qu'ils s'étaient concertés pour qu'elle sente leur présence, leur chaleur. Sans raison, je me suis sentie abandonnée.

Près d'une colonne, j'ai remarqué un brin de paille; sûrement un souvenir de la crèche, la messe de minuit a été là : Noël, Joseph qui toussait, Marie dans sa robe décolletée, le mouton qui faisait des siennes, tante Philippa le nez dans son mouchoir. Je ne savais pas que c'était si bien alors! Si plein! Je n'en avais pas assez profité! Malheureusement, je ne profite bien des choses qu'après : dans le regret.

La famille occupait deux rangs entiers. A part nous, il n'y avait que trois personnes du Centre de rééducation : deux hommes et une femme; et une vieille du pays que l'on disait folle qui ne manquait aucun enterrement, pleurait des tonnes, et, à la sortie, serrait les mains d'un air entendu.

Grand-mère est restée assise tout le temps, si petite et courbée sur ses mains réunies qu'on pensait au moment où elle allait partir aussi.

L'abbé Gosier a parlé de l'amour. Il a dit que Gabriel, Marc Levénement, n'avait pas connu l'amour sur cette terre mais que maintenant nous pouvions être assurés que cela y était enfin.

Il avait l'air très convaincu. « Qu'est-ce qu'il en sait? » a murmuré Bernadette, et je lui en ai voulu d'avoir exprimé ce que je pensais.

Le petit bouquet de fleurs, c'était Henriette. Le gros, toute la famille. Mais pas de couronnes heureusement. J'aurais aimé que les fleurs soient toutes blanches, comme pour un baptême, une communion ou un mariage; comme lors des fêtes du commencement.

Lorsque la messe a été finie, il y a eu un moment de

flottement. Pas de famille en noir à qui serrer la main avant de respirer à fond quelques mètres plus loin en retrouvant l'air frais de la vie quotidienne. Aucun regard noyé à rencontrer sauf celui de la folle qui attendait en vain, près de la porte, le début des cérémonies habituelles.

Les trois personnes du Centre parlaient à voix basse devant l'église. L'un des hommes s'est approché de papa. Il a demandé : « Vous connaissiez Gabriel Levénement ? »

Papa a montré Cécile. Il a dit : « C'était son ami. » Alors, l'homme a serré la main de la Poison. Il a murmuré : « Tu sais, au fond, c'était un garçon bien ! Seulement voilà, il n'avait pas eu de chance. »

La Poison s'est mise à regarder ailleurs d'un air indifférent. L'homme est resté un moment indécis, puis, comme personne ne semblait désireux de poursuivre la conversation, il a remis ses gants et rejoint ses amis.

Quatre employés en noir ont placé le cercueil dans le fourgon. L'un d'eux portait un bleu de travail sous son pantalon. On le voyait dépasser. Cela faisait penser que tout cela n'était qu'une comédie. J'avais envie de lui dire de redevenir lui-même.

La voiture a démarré lentement dans la direction du cimetière, descendant avec un bruit de boue remuée entre les platanes désolés. Tout le monde suivait à pied, la folle en tête. Stéphane tenait la main de Bernadette et Antoine avait pris le bras de Claire. J'ai remarqué qu'elle s'appuyait sur lui.

Il recommençait à tomber de ces flocons qui n'en sont pas, entre neige et pluie. Papa a regardé le ciel d'un air inquiet. Maman n'y voit pas grand-chose la nuit ; c'est lui qui conduira pour rentrer.

Je me suis mise au dernier rang. Personne ne s'occupait de moi. J'ai rebroussé chemin.

L'église était déjà fermée, comme les théâtres, cinq

minutes après les applaudissements. Si l'on m'avait dit que j'y reviendrais si vite, jamais je n'aurais pu le croire.

Je me suis enfoncée dans le parc qu'allait blanchir à nouveau la neige. J'apercevais au bout la tour de ce vieux Buffon. A force de rendez-vous, je commençais à le considérer comme un copain. Je lui ai envoyé un message d'amitié.

J'ai eu du mal à soulever la pierre. Elle était comme soudée à la terre. J'ai glissé dessous le billet d'avion. Bien sûr, c'était un geste enfantin. Il aurait été plus raisonnable de changer le billet et récupérer l'argent. Mais la raison, non merci !

J'ai laissé retomber la pierre sur M. Moreau, Dijon-Marseille, le 31 décembre, 16 h 10. On pouvait bien offrir à Gabriel ce bout de papier qui était peut-être la plus belle chose qu'il ait tenue dans sa main même s'il ne l'avait pas utilisée; ce billet qui représentait à la fois le départ et l'amour.

Après, n'importe quoi pouvait arriver, cela m'était égal. Je suis venue m'asseoir à l'endroit où, avec Paul, nous avions fait connaissance. Il devait être à Paris maintenant. Les chiffres, sur mon poignet, étaient tout à fait effacés. Montbard s'étendait sous mes yeux, quotidien. Ce n'était ni la mort de Gabriel, ni Noël qui auraient pu changer ce ciel, le toit de ces maisons ou le cours de la rivière. Tout ce que je pouvais espérer c'est que mon regard sur cette rivière, ces toits, cette ville, ne soit plus jamais tout à fait le même. J'espère !

Ils devaient être en train de descendre le cercueil maintenant. Si papa n'avait pas payé ! Si Nicole n'était pas intervenue, où aurait-on enterré Gabriel ? Et puis quelle importance ? Quand c'est fini, on boit une tasse de thé bouillant, on reprend la route et on somnole en se disant que l'hiver est loin d'être fini.

Je ne pouvais me décider à quitter mon morceau de

mur. Il me semblait que la nuit refusait de tomber. C'est vrai que, depuis une quinzaine, les jours rallongent ! Cinq minutes de plus chaque soir. C'est énorme !

En moi, j'ai appelé la voix de Paul. « Si j'ai un vœu à faire... »

De toutes mes forces, j'ai fait le vœu de ne rien oublier, de mêler en moi le visage de celui qui venait de mourir à cet autre qui, dans le ventre de ma sœur, se préparait à venir à la vie.

Et devant ces choses inouïes, j'ai eu envie de crier, sans savoir si ce serait de souffrance ou de bonheur.

TABLE

DU MÊME AUTEUR

Aux Éditions Fayard :

L'ESPRIT DE FAMILLE (tome I).
L'AVENIR DE BERNADETTE (L'Esprit de famille, tome II).
CLAIRE ET LE BONHEUR (L'Esprit de famille, tome III).
MOI, PAULINE, (L'Esprit de famille, tome IV).
L'ESPRIT DE FAMILLE (les quatre premiers tomes en un volume).
CÉCILE, LA POISON (L'Esprit de famille, tome V)
CÉCILE ET SON AMOUR (L'Esprit de famille, tome VI).
UNE FEMME NEUVE.
RENDEZ-VOUS AVEC MON FILS.
UNE FEMME RÉCONCILIÉE.
CROISIÈRE 1.
CROISIÈRE 2.
LES POMMES D'OR.
LA RECONQUÊTE.
UNE GRANDE PETITE FILLE.

Chez un autre éditeur :

VOUS VERREZ... VOUS M'AIMEREZ, Plon.
TROIS FEMMES ET UN EMPEREUR, Fixot.
CRIS DU CŒUR, Albin Michel.

Composition réalisée en ordinateur par IOTA

IMPRIMÉ EN FRANCE PAR BRODARD ET TAUPIN
Usine de La Flèche (Sarthe).
LIBRAIRIE GÉNÉRALE FRANÇAISE - 6, rue Pierre-Sarrazin - 75006 Paris.

ISBN : 2 - 253 - 02714 - 6

✦ 30/5524/1